大语文分级阅读

自然律动

二十四节气故事

学而思教研中心 编著

山东电子音像出版社
·济南·

第一学段·1—2年级

前　言

——写给爸爸妈妈和老师

　　"阅读力就是成长力"，这个理念成为越来越多父母和老师的共识。的确，阅读是一个潜在的"读—思考—领悟"的过程，孩子通过这个过程，打开心灵之窗，开启智慧之门，远比任何说教都有助于其成长。

　　儿童教育家根据孩子的身心特点，将阅读目标分为三个学段：第一学段（1—2年级），课外阅读总量不少于5万字；第二学段（3—4年级），课外阅读总量不少于40万字；第三学段（5—6年级），课外阅读总量不少于100万字。

　　从当前的图书市场来看，小学生图书品类虽多，但大多未做分级。从图书的内容来看，有些书籍加了拼音以降低识字难度，可文字量又太大，增加了阅读难度，并未考虑孩子的阅读力处于哪一个阶段。

　　阅读力的发展是有规律的。一般情况下，阅读力会随着年龄的增长而增强，但阅读力的发展受到两个重要因素的影响：阅读方法和阅读兴趣。如果阅读方法不当，就不能引起孩子的阅读兴趣，而影响阅读兴趣的关键因素是智力和心理发育程度，因此孩子的阅读书籍应该根据其智力和心理的不同发展阶段进行分类。

　　教育学家研究发现，1—2年级的孩子喜欢与大人一起朗读或阅读内容浅显的童话、寓言、故事。通过阅读，孩子能获得初步的情感体验，感受语言的优美。

这一阶段要培养的阅读方法是朗读，要培养的阅读力是喜欢阅读，可以借助图画形象理解文本，初步形成良好的阅读习惯。

3—4年级孩子的阅读力迅速增强，阅读量和阅读面开始增加和扩大。这一阶段是阅读力形成的关键期，要培养的阅读方法是默读、略读，要培养的阅读能力是阅读时要重点品味语言、感悟人物形象、表达阅读感受。

5—6年级孩子的自主阅读能力更强，喜欢的图书更多元，对语言的品位有要求，开始建立自己的阅读趣味和评价标准。这一阶段要培养的阅读方法是浏览、扫读，要培养的阅读力是概括能力、品评鉴赏能力。

本套丛书编者秉持"助力阅读，助力成长"的理念，精挑细选、反复打磨，为每一学段的孩子制作出适合其阅读力和身心发展特点的好书。

我们由衷地希望通过这套书，能增强孩子阅读的幸福感，提升其阅读力和成长力。

学而思教研中心

目录

chūn

春

chūn shì wàn wù zhī shǐ chūn jì lǐ de jié
春，是万物之始。春季里的节

qì yǒu lì chūn yǔ shuǐ jīng zhé chūn fēn qīng
气有立春、雨水、惊蛰、春分、清

míng hé gǔ yǔ
明和谷雨。

"立"是"开始"的意思。"东风吹散梅梢雪，一夜挽回天下春。"一到立春，便意味着万物闭藏的冬季已过去，天气不再寒冷，逐渐暖和，冰雪也逐渐融化，开始进入风和日丽、万物生长的春季。

立春过后，便是雨水了。"好雨知时节，当春乃发生。"春天的雨水是贵如油的，有了充足的春雨浇灌，草木变得更加滋润，这样它们才能在接下来的节气里茁壮成长。

万物被雨水滋润后，就来到了惊蛰。"惊蛰已数日，闻蛙初此时。"萌芽的植物们开始疯狂生长啦，冬眠的小动物们也纷纷走出洞来活动、觅食，准备开始新一年的生活。

春分

到了春分，春天就过了一半，这是一个百花争艳的好节气：海棠花开得红红火火，玉兰花也开始在枝头绽放，荠菜、苋菜等各种野菜也开始冒头了。

清明

转眼又来到了清明，清明不只是一个节气，更是我国重要的传统节日。每年清明前后，家家户户都会去祭祖、扫墓，以此来表达对先人的追忆与感恩，祈求祖先的庇佑和守护。

谷雨

"花前细细风双蝶，林外时时雨一鸠。"春季的最后一个节气是谷雨。此时，雨水更加丰沛，大地上的植物越发茁实。而雨后的彩虹美景更是会经常出现，大自然更加五彩斑斓！

3

立 _{lì}
春 _{chūn}

[节气知识]

　　立春，在每年公历2月3日至5日之间，以2月4日居多。立春是二十四节气中的第一个节气，"立"是开始的意思，"立春"就是春天开始了。这一天之后，白天渐长，日照增加，万物闭藏的冬季已过去，开始进入复苏的季节，万物至此渐次生长，气温也开始逐渐回升。

　　立春后，从东边刮来的暖风将大地上的冰雪逐渐解冻，因此在泥土里蛰居的各种昆虫也随着大地的慢慢变暖而苏醒。河里的冰也渐

jiàn de róng huà le　　yú kāi shǐ dào shuǐ
渐地融化了，鱼开始到水

miàn shàng yóu dòng　　dàn cǐ shí de shuǐ miàn
面上游动。但此时的水面

shàng hái yǒu méi wán quán róng huà de suì bīng
上还有没完全融化的碎冰

piàn　　zhè xiē suì bīng piàn jiù xiàng bèi yú
片，这些碎冰片就像被鱼

bēi fù zhe yí yàng　　piāo fú zài shuǐ miàn
背负着一样，漂浮在水面

shàng
上。

lì chūn sān hòu
立春三候

yī hòu dōng fēng jiě dòng
一候东风解冻，

èr hòu zhé chóng shǐ zhèn
二候蛰虫始振，

sān hòu yú zhì fù bīng
三候鱼陟负冰。

5

咬春

*

传说在很久以前，瘟疫四起，所有人都得了一种怪病。得这种病的人都像喝醉了酒似的，头重脚轻，连抬手的力气也没有。后来，有一个老道士告诉人们：只要在立春那天吃几块萝卜，病情就消除了。

立春那天，大家吃了萝卜后，果然全都好了。从此，人们每年都在立春这天吃几块萝卜，以求平安，逐渐形成了"咬春"的习俗，并持续至今。

打春 dǎ chūn

*

从周朝开始，每年立春之时，官府都要举行隆重的迎春祭典。

当地官员主持仪式时，首先令人手持彩鞭抽打用泥土做成的"春牛"，随后，其他官员和在场的人，也依次上前抽打三鞭。

祭典结束后，农民们便纷纷从"春牛"身上挖下泥土带回家中，当作"五谷丰登""六畜兴旺"的好兆头。

雨
水

[节气知识]

雨水，在每年公历2月18日至20日之间。

进入雨水节气，意味着进入了气象意义上的

春天。此时气温回升、冰雪融化，不仅开始

降雨，而且雨量也逐渐增多，但多以小雨或毛

毛细雨为主。雨水节气后，我国北方依然很寒

冷，一些地方甚至仍然下着大雪；但在南方，

人们则明显感受到春回大地、春暖花开，沁人

心脾的气息萦绕在天地间。

雨水节气后，河水逐渐解冻，水獭开始在

河里捕鱼了。水獭捕捉到鱼后喜欢把鱼整齐地排列在岸边展示，似乎要祭拜后再享用。随着气温逐渐回升，在南方过冬的大雁也飞回北方，准备开始新一年的生活。各种花草树木也开始焕发生机，抽出嫩芽，呈现出一派欣欣向荣的景象。

雨水三候

一候獭祭鱼，
二候候雁北，
三候草木萌动。

龙须饼

*

相传，武则天登基后，玉皇大帝勃然大怒，给龙王下旨：三年内不能降雨。龙王看到人间因为没有雨水而变得民不聊生后，十分怜悯人间的百姓，于是冒险为人间降下了一场大雨。

玉皇大帝得知此事后十分生气，把龙王压在了一座大山下面。百姓为了纪念龙王，便在雨水时节吃形状像龙须的饼，后来这种饼渐渐成了北方著名的特色小吃。

拉保保

*

在四川西部，雨水节气的习俗非常特别，叫"拉保保"（保保是干爹的意思）。雨水节拉保保，有"雨露滋润易生长"之意，可以让孩子健康顺利地成长。

雨水节这天，父母们会带着自己的孩子在人群中穿来穿去，为孩子选择一个合适的干爹。如果孩子身体瘦弱，那么就在人群中拉一个身体强壮的人做干爹；如果希望孩子长大后有学识，可以拉一个文人做干爹。被拉的人认为这是别人信任自己，所以都会爽快地答应。

jīng 惊
zhé 蛰

　　惊蛰，在每年公历3月5日或6日。动物和昆
虫冬天藏眠于土中，不饮不食，称为"蛰"。
惊蛰后，天气明显回暖，降雨充足，春雷频
频。蛰藏在地底下冬眠的各种动物和昆虫被
阵阵春雷惊醒了，都开始出来活动、觅食。同
时，随着气温不断回升，雨水也越来越充沛，
万物生机盎然，此时正是万物生长的好时
机，该种的农作物也都开始耕种了。

　　惊蛰这一天，桃花盛开，黄鹂鸟（别名

12

"仓庚"）开始鸣叫，向同伴求偶。此时，鹰的喙（嘴）还比较柔软，不够坚硬和锋利，因此不能捕食，只能眼巴巴地看着猎物，像鸠鸟(古人称布谷鸟为鸠)一样鸣叫。

惊蛰三候

一候桃始华，
二候仓庚鸣，
三候鹰化为鸠。

13

祭白虎

*

民间传说里，白虎是守护一方的神兽，同时也掌管着口舌是非。它一直是张着大嘴、面露凶光的形象。

在惊蛰这一天，白虎会到处走动，如果有人不小心得罪了它，这一年都会被小人随意挑拨、乱加议论，一年到头都倒霉不顺。因此人们为了自保，会在惊蛰那天祭白虎，让它不能张口伤人。

惊蛰吃梨

*

明朝时，山西有一位叫渠济的商人，他带着儿子四处卖梨，由于经营有道，富甲一方。

到了清代，渠济的后人渠百川准备去外地经商，他父亲就拿梨给他吃，并对他说："先祖贩梨创业，非常艰辛。今天是惊蛰，你外出经商，吃梨是让你不忘先祖，艰苦创业，努力光宗耀祖。"

后来，其他经商的人也开始效仿吃梨，于是在惊蛰吃梨就有了"离家创业""光宗耀祖"的含义。

15

chūn 春
fēn 分

chūn fēn　　zài měi nián gōng lì　yuè　　rì huò　　rì　　zài gǔ dài
春分，在每年公历3月20日或21日，在古代

yòu chēng wéi　　rì zhōng　　rì yè fēn　　dào le chūn fēn　　jiù shuō míng
又称为"日中""日夜分"。到了春分，就说明

wéi qī　tiān de chūn tiān yǐ jīng guò qù yí bàn　　ér qiě cóng zhè yì tiān
为期90天的春天已经过去一半，而且从这一天

kāi shǐ　　bái tiān yǔ hēi yè de shí jiān píng fēn　　gè wéi　　xiǎo shí
开始，白天与黑夜的时间平分，各为12小时，

suǒ yǐ chēng wéi　　chūn fēn　　chūn fēn yí dào　　qì hòu kāi shǐ màn màn
所以称为"春分"。春分一到，气候开始慢慢

wēn hé　　yǔ shuǐ yě zhú jiàn fēng pèi　　zhōng guó dà bù fen dì qū zhèng shì
温和，雨水也逐渐丰沛，中国大部分地区正是

nóng zuò wù bō zhǒng de zuì hǎo shí jī
农作物播种的最好时机。

chūn fēn hòu　　dà dì kāi shǐ biàn de wēn nuǎn　　qì wēn zhú jiàn huí
春分后，大地开始变得温暖，气温逐渐回

shēng　　zài nán fāng guò dōng de yàn zi　gǔ shí bié míng xuán niǎo　　yuán niǎo
升，在南方过冬的燕子(古时别名玄鸟、元鸟)

16

又飞回北方，衔草泥筑巢安家，开始新一年的生活。同时由于天气转暖，雨水增多，空气也越来越潮湿，下雨时常常伴随着雷鸣和闪电。

春分三候

一候玄鸟至，

二候雷乃发声，

三候始电。

[节气故事]

chūn fēn bài rì
春分拜日

*

  hěn jiǔ yǐ qián，rén men bǎ wǔ gǔ zhòng zài dì lǐ，yì tiān yì
很久以前，人们把五谷种在地里，一天一

tiān de qī pàn zhe，dàn yì zhí méi yǒu shōu cheng。yán dì qù wèn shàng
天地期盼着，但一直没有收成。炎帝去问上

tiān，shàng tiān shuō，nà shì yīn wèi tài yáng duǒ qǐ lái le，wǔ gǔ dé
天，上天说，那是因为太阳躲起来了，五谷得

bú dào chōng zú de yáng guāng，yīn cǐ zhǎng bù chū huā、jiē bù chū guǒ
不到充足的阳光，因此长不出花、结不出果。

  wèi le rén lèi，yán dì fēi yuè le wàn lǐ dà hǎi，kè fú
为了人类，炎帝飞越了万里大海，克服

le chóng chóng kùn nán，zhōng yú zhǎo dào le tài yáng，bǎ tā guà zài tiān
了重重困难，终于找到了太阳，把它挂在天

shàng。cóng cǐ dà dì shàng wǔ gǔ fēng dēng、wàn mín ān lè
上。从此大地上五谷丰登、万民安乐。

  rén men shí fēn gǎn xiè yán dì de fù chū，yú shì měi nián dào le
人们十分感谢炎帝的付出，于是每年到了

chūn fēn zhè yì tiān，biàn huì xiàng tài yáng jì bài
春分这一天，便会向太阳祭拜。

春分立蛋

*

春分这一天最容易把鸡蛋立起来，在四千年前，中国就有了在春分时立鸡蛋的习俗。

立蛋在民间还有"马上添丁"的意思，包含着人们祈祷人丁兴旺、世代相传的美好愿望。所以每年这天，大家凑在一起庆祝春天的到来，一起玩立鸡蛋的游戏，谁如果将鸡蛋立起来，就代表这一年要交好运，会得到大家的祝贺。

qīng清
míng明

[节气知识]

清明，每年公历4月4日至6日之间，以4月5日居多。清明不仅是二十四节气之一，还是中华民族最隆重盛大的传统祭祖节日。清明时节，我国大部分地区已经明显回暖，阳光明媚，草木萌发，草长莺飞，油菜花香，杨柳泛青，百花盛开，正是野外郊游的好时节，因此，清明节又被称为踏青节。

清明时节，正是梧桐树开花的好时候，许多不同种类的鸟儿都喜欢栖居在梧桐树上，

20

好不热闹。田鼠是喜欢待在阴凉环境的动物，清明后，随着气温逐渐升高，田鼠都躲回地下洞穴去了，而喜欢阳光与温暖的各种小鸟，也开始出来频繁活动。清明节后，雨后的天空可以看见五彩缤纷的彩虹了。

清明三候

一候桐始华，

二候田鼠化为鴽，

三候虹始见。

清明节的由来

*

清明节最早只是一种节气的名称，其变成纪念祖先的节日与寒食节有关。

春秋时期，晋国有一个叫重耳的公子流亡于民间，大臣介子推始终追随其左右，不离不弃，甚至割自己大腿上的肉给他充饥。后来重耳当上了国君，想请介子推做官，但介子推却和母亲躲起来隐居在绵山上。

重耳为了逼介子推下山，就让人放火烧山。等火灭后，人们才发现介子推和他的母亲被烧死在一棵树下。重耳为了纪念他，便下令在这一天不能生火吃热食。

清明吃青团

*

传说有一年清明节，太平天国的大将陈太平被清兵追捕，情急之下他藏到了一片农田里，一位农民帮助他躲过了追捕。

面对清兵的严密盘查，聪明的农民把艾草汁揉进糯米粉内，做成了一个个青色的米团子，然后将米团子放在青草里，混过了村口的检查，把食物带给了陈太平。

陈太平吃到如此美味的食物，在逃回军营后就将这种做法教给了将士们，从此清明节吃青团的习俗便流传开来。

23

gǔ
谷
yǔ
雨

[节气知识]

　　谷雨，在每年公历4月19日至21日之间，是春季的最后一个节气。谷雨，也就是播谷降雨的意思。在谷雨时节，寒冷的天气基本结束，气温回升加快，空气湿度加大，雨水不断增多，非常有利于谷类作物的生长。人们也有在谷雨时节走亲串门、品谷雨茶的习俗。

　　谷雨节气后降雨量增多，水藻类植物（如浮萍）开始迅速生长，一片繁荣。树林里的布

gǔ niǎo fèn lì de zhèn dòng chì bǎng fēi xíng　　bú duàn de míng jiào
谷鸟奋力地振动翅膀飞行，不断地鸣叫，

sì hū shì zài tí xǐng rén men gāi kāi shǐ bō zhǒng le　　yǒu yì zhǒng
似乎是在提醒人们该开始播种了。有一种

jiào dài shèng de niǎor　　　　tā de tóu
叫戴胜的鸟儿，它的头

dǐng shàng shēng yǒu guān zhuàng de yǔ máo
顶上生有冠状的羽毛，

chēng wéi shèng máo　　měi dào gǔ yǔ shí
称为胜毛，每到谷雨时

jié　　dài shèng niǎo jiù kāi shǐ zài sāng shù
节，戴胜鸟就开始在桑树

shàng zhù cháo
上筑巢。

gǔ yǔ sān hòu
谷雨三候

yī hòu píng shǐ shēng
一候萍始生，

èr hòu míng jiū fú qí yǔ
二候鸣鸠拂其羽，

sān hòu dài shèng jiàng yú sāng
三候戴胜降于桑。

谷雨的由来

*

传说黄帝有一个史官，叫仓颉。他凭借结绳记事，把国家大事都记得清清楚楚。但是仓颉后来发现，结绳记事并不能完全记住所有事情。

于是，他就四处观察各种事物，把看到的事物都按其形态特征表示出来，创造了"象形文字"。

仓颉造字有功，感动了上天，天帝便下令打开天宫的粮仓，下了一场谷子雨。人们为了感谢仓颉，便在谷雨那天祭拜他。

谷雨救牡丹

*

相传一位叫谷雨的年轻人在发大水的时候救了一株牡丹花，并栽培在家里。几年后，谷雨的母亲病重，牡丹花竟然化身为一位姑娘，每天帮谷雨照顾母亲。

没过多久，当地一位乡绅想用牡丹等花的花蕊做药酒，将众花仙囚禁了起来。谷雨战胜乡绅，救出了众花仙，却被暗箭射中身亡。

抱着谷雨的尸体，牡丹姑娘泣不成声。从此谷雨去世的那天，天上下雨，地上牡丹开放，以此纪念谷雨。

27

xià

夏

zǒu guò le chūn de yǐ nǐ　　xíng róng jǐng wù róu
走过了春的旖旎（形容景物柔
měi　　ē nuó duō zī de yàng zi　　　yíng lái le xià
美、婀娜多姿的样子），迎来了夏
de péng bó　　èr shí sì jié qì lǐ shǔ yú xià jì de
的蓬勃。二十四节气里属于夏季的
yǒu lì xià　　xiǎo mǎn　　máng zhòng　　xià zhì　　xiǎo
有立夏、小满、芒种、夏至、小
shǔ hé dà shǔ
暑和大暑。

立夏

夏天是生长的季节。到了立夏时节，植物逐渐枝繁叶茂，随着气温不断上升，蝉鸣声也此起彼伏，正是"又是残春将立夏，如何到处不莺啼"。

小满

立夏过后，便是小满了。俗话说"小满满江河"，此时雨水充盈，万物互相追赶着生长，一派欣欣向荣的景象。小满的到来，是憧憬，也是等待。

芒种

随着雨水不断地浇灌，转眼就到了芒种。芒种即"忙种"，意味着农民伯伯开始了忙碌的田野劳作生活。"锄禾日当午，汗滴禾下土。"小朋友们可要珍惜每一粒来之不易的粮食哦！

夏至

到了夏至，小朋友们盼望的暑假也就来了。等到这时，爸爸妈妈就可以带着我们游览祖国的大好河山，看湖水满溢、白鹭翩翩，听湖畔嬉戏、鸣蛙处处。

小暑

"接天莲叶无穷碧，映日荷花别样红。"小暑是赏荷的好时节。春红落尽，夏木成荫，只有荷花在骄阳的照射下，依然无比耀眼。

大暑

夏天的最后一个节气"大暑"，是一年中最热的时候。小朋友在外游玩的时候一定要注意防暑防晒哦，同时也要置办文具，准备开始新学年的学习了。

立夏
lì xià

立夏，在每年公历5月5日至7日之间。立夏，意味着春天结束，夏天自此开始。在古代，人们都非常重视"立夏"的礼俗，要在立夏这天举行"迎夏"仪式，祈求丰收。立夏后，气温越来越高，白天也越来越长，酷暑将临，雷雨增多。立夏是农作物进入生长旺季的一个重要节气。

立夏时节，随着气温升高，正是各种昆虫繁殖的好时机，因而渐渐地就会在田地间听到蝼蝈此起彼伏的鸣叫声；蚯蚓也开始在泥土

zhōng huó dòng　　lì xià hòu　　yǔ shuǐ yě yuè lái yuè chōng pèi
中活动。立夏后，雨水也越来越充沛，

gèng shì guā téng lèi zhí wù xùn sù shēng zhǎng de hǎo shí jié　wáng
更是瓜藤类植物迅速生长的好时节，王

guā de téng wàn yě kāi shǐ kuài sù de pān pá shēng zhǎng
瓜的藤蔓也开始快速地攀爬生长。

lì xià sān hòu
立夏三候

yī hòu lóu guō míng
一候蝼蝈鸣，

èr hòu qiū yǐn chū
二候蚯蚓出，

sān hòu wáng guā shēng
三候王瓜生。

迎夏祭祖

*

远在周朝时期，天子和大臣会在立夏的时候，到南郊举行迎接夏天的仪式。礼毕，主管山林田野的官吏会代天子巡视田地平原，慰劳农民。

农民们在立夏也会用新收获的果实供奉先祖，祭拜神灵，以此表示对先祖和神灵们的尊敬，祈求来年能够获得丰收。

立夏称人

*

朱元璋手下有一名叫常遇春的大将，在一次战斗中被活捉关进了监牢。朱元璋为了不让他在牢房里受罪，买通了看管牢房的牢头。牢头不敢得罪朱元璋，为了证明常遇春在牢里没有受罪，在立夏那天，称了一下常遇春的体重，又给他好酒好肉吃，认为只要没瘦就说明他在牢里没有遭罪。

朱元璋救出常遇春后，高兴地赏赐了牢头。后来，"立夏称人"的习俗便流传了下来。

xiǎo 小
mǎn 满

[节气知识]

　　xiǎo mǎn　　　zài měi nián gōng lì　　yuè　　rì zhì　　rì zhī jiān　　zài
　　小满，在每年公历5月20日至22日之间。在
wǒ guó de běi fāng dì qū　　　mài lèi děng xià shú zuò wù de zǐ lì suī rán yǐ
我国的北方地区，麦类等夏熟作物的籽粒虽然已
jīng kāi shǐ biàn de bǎo mǎn　　dàn hái méi yǒu chéng shú　　suǒ yǐ jiào xiǎo mǎn
经开始变得饱满，但还没有成熟，所以叫小满。
xiǎo mǎn qián hòu　　　quán guó gè dì qū dōu jiàn jiàn jìn rù le qì xiàng yì yì
　　小满前后，全国各地区都渐渐进入了气象意义
shàng de xià jì　　tóng shí yě yì wèi zhe jìn rù le dà fú dù jiàng shuǐ de yǔ
上的夏季，同时也意味着进入了大幅度降水的雨
jì　　cǐ shí gāo wēn　　gāo shī　　duō yǔ　　kuáng fēng　　léi diàn pín fán
季，此时高温、高湿、多雨，狂风、雷电频繁。
kǔ cài zài xiǎo mǎn shí jié kāi huā　　chéng xiàn chū xiù lì de jǐng
　　苦菜在小满时节开花，呈现出秀丽的景
sè　　bīn fēn duó mù　　kǔ cài shì yì zhǒng kě shí yòng de zhí wù　　yě
色，缤纷夺目。苦菜是一种可食用的植物，也

36

是古人最早食用的野菜之一，虽然味苦，但是有抗菌、清热、解毒、明目的作用。随着气温升高，田地间的各种枝多叶细的杂草，因为阳光的暴晒，不断地枯萎死去。小满过后，盛夏就要来了，麦子也到了快要收获的季节。

小满三候

一候苦菜秀，
二候靡草死，
三候麦秋至。

小满祭蚕

*

从前有一位父亲在远方因生病回不了家，他的女儿担心父亲，便对白马说："如果你能把我父亲带回来，我就嫁给你。"没过几天，白马竟然真的把她的父亲带了回来。不过父亲不想让女儿嫁给白马，便把白马宰杀掉，把马皮挂晒在院子里。

小满这天，马皮突然飞起来，像风一样把姑娘卷走，把她带到一个到处都是桑树的地方。姑娘变成了蚕，她每次思念家乡和父亲，都会从口里吐出长丝。这一幕被人们看见了，大家都叫她"蚕神姑娘"。

后来，民间就有了在小满这天祭蚕的习俗。

cháng xīn mài
尝新麦

*

在春秋时期，晋景公梦见有鬼魂骂他。醒来后，他便召来桑田巫解梦，解梦的结果是他活不到吃新麦的时候了。

后来到了麦子成熟时，晋景公命人将新麦做成麦食，同时召见桑田巫，想当着他的面吃麦食，以证明他解梦有误。

但晋景公正要吃麦食时，肚子突然痛了起来，只好去上厕所，结果掉进粪池里淹死了。

máng
zhòng

芒种

芒种，在每年公历6月5日至7日之间。
芒，是指麦类等有芒植物的收获；种，是指谷
黍类作物的播种。"芒种"与"忙种"谐音，
因此，民间也称"忙着种"，预示农民开始了
忙碌的田间劳作。芒种后，雨量充沛，气温显
著升高。夏熟的作物要收获，夏播秋收的作物
要下地，春种的庄稼要管理，是农民一年中
最繁忙的时候。

螳螂通常是在上一年的深秋产卵，直到

当年芒种时节，小螳螂才会破壳而出。伯劳鸟(古时称为鵙)是一种小型的猛禽，芒种后，它出现在枝头，开始鸣叫。反舌鸟是一种能够学习其他鸟类鸣叫的鸟，它一般在春季开始鸣叫，在芒种后因为感受到了气候的变化，所以停止了鸣叫。

芒种三候

一候螳螂生，
二候鵙始鸣，
三候反舌无声。

41

shāo ài cǎo
烧艾草

*

艾草是我国南方地区普遍生长的一种植物，具有驱赶蚊虫的作用。芒种时节，正是各种细菌、蚊虫滋生的时候，人们会把艾草从田里割回来，然后摆放在自家门口，还有些人会把艾草晒干，然后点燃，在屋子里转上一圈，驱赶蚊虫。于是芒种时节便有了"烧艾草"的习俗。

关公除恶龙

*

相传，关羽成为神仙后，保佑人间风调雨顺。人们为了表达感激之情，建了许多关帝庙，为其供奉香火。南海恶龙看到旺盛的香火后，心生嫉妒，趁着关公外出，将江河溪流吸尽，导致人间的庄稼都枯萎了。

关公回来后十分愤怒，决定农历五月十三日出征降龙。出征前他在南天门外磨刀，磨刀水形成降雨，磨刀声化为雷声。关公擒住恶龙后，使其吐出腹中的水，缓解了旱情。

43

xià zhì
夏至

　　夏至，在每年公历6月21日至22日之间，以
6月22日居多。夏至和春分一样，是反映日照时
长的节气。夏至是一年里太阳最偏北的一天，
是我国所在的北半球白天最长、夜晚最短的一
天。夏至之后，太阳虽开始向南回移，但热量
还在积累，气温也不断升高，至七八月达到顶
峰，因此夏至意味着炎热将至。

　　每到夏至前后，小鹿头上的角都在这时
老化、脱落，以便来年春天长出更加结实的新

44

角。雄性蝉经过七年的生长发育终于成熟，在夏至后开始鸣叫，吸引雌性蝉。一种叫作半夏的植物在水里探出了头，不断地吸收水分和营养，两个月之后成长为可以治病的药草。

夏至三候

一候鹿角解，

二候蝉始鸣，

三候半夏生。

巧姐儿成仙

*

很久以前，有个姑娘叫巧姐儿，她的婆家让她在回门（指女子出嫁后首次回娘家探亲）当天做好十双鞋、十双袜和十个荷包。巧姐儿不停地赶工，但还各差三份，她急得哭了起来。到夏至这天，一个老奶奶突然出现，抽走了她手里的红线，向空中一抛，太阳被红线拴住从西边拉了回来。傍晚变回下午，巧姐儿得以按时将东西上交，心灵手巧的巧姐儿也被红线带到了天上变成了仙女。

竹夫人

*

苏东坡调侃佛印（宋代的僧人）："你有妻子没？"佛印笑答："有，两个。"苏东坡大惊，佛印笑着解释："我夏天拥抱'竹夫人'，冬日怀揣'汤婆子'，可不是两个妻子？"苏东坡听后大笑。

佛印说的"竹夫人"，其实是一种用竹篾编成的圆柱形物，因为夏至之后越来越热，古代的人们便制作出"竹夫人"，用它来取凉。

^{xiǎo}
^{shǔ}

小暑

[节气知识]

小暑，在每年公历7月6日至8日之间，以7月7日居多。暑，是炎热的意思，小暑，指天气开始变得炎热，但还没到最热的时候。小暑标志着盛夏时节的正式开始，同时也标志着江淮流域的梅雨即将结束，气温升高；而华北、东北地区开始进入多暴雨期。

小暑后，大地上便不再有一丝凉风，所有的风中都带着热浪。这样的天气让人人都感到燥热，就连小动物们也不能忍受。蟋蟀们开始

jǔ jiā bān qiān   lí kāi tā men shēng huó
举家搬迁，离开它们生活
de tián yě   lái dào le kě yǐ zhē yáng
的田野，来到了可以遮阳
de tíng yuàn dìng jū   lǎo yīng men yě yīn
的庭院定居。老鹰们也因
wèi dì miàn de wēn dù shí zài tài gāo ér
为地面的温度实在太高而
xuǎn zé zài qīng liáng de gāo kōng pái huái
选择在清凉的高空徘徊，
chí chí bú yuàn zhuó lù
迟迟不愿着陆。

49

"小白龙"回家

*

相传小暑这天是"小白龙"回家的日子。

"小白龙"因为犯了天条，被龙王囚禁在很远的一个小岛上，哪里都不能去。只有小暑这一天，龙王才恩准他回家探望妈妈。

"小白龙"思母心切，一刻都不想耽搁，所以一路上昼夜兼程，带来了惊雷闪电和狂风暴雨。因此，小暑这天是会打雷下雨的哦！

吃 "三宝"

*

在小暑这天，民间有吃 "三宝" 的习俗，"三宝" 指的是绿豆芽、莲藕、黄鳝这三种食物。

绿豆芽有清热解毒、消暑利尿的功效，在夏季食用绿豆芽还有美颜减肥的功效。莲藕含有丰富的营养物质及维生素，具有清热、养血、除烦等功效，非常适合在炎热的夏天食用。有一句俗语叫作 "小暑黄鳝赛人参"，指的就是小暑前后的黄鳝是最美味、最有营养、最滋补的。

大暑

[节气知识]

　　大暑，在每年7月22日至24日之间，以7月22日居多。大暑和小暑一样是反映夏季炎热程度的节气，大暑表示炎热至极，这一天是我国一年中日照最多、气温最高的，也是农作物生长最快的时期。大暑前后，我国长江中下游等地区炎热少雨，而我国华北、东北等地区却是一年中雨水最丰沛、雷阵雨最多的时期。

　　会发光的萤火虫分水生和陆生两种。陆

shēng yíng huǒ chóng mā ma jiāng hái shi chóng luǎn
生萤火虫妈妈将还是虫卵

de bǎo bao chǎn zài kū cǎo shàng dào le
的宝宝产在枯草上，到了

dà shǔ yíng huǒ chóng bǎo bao jiù huì pò
大暑，萤火虫宝宝就会破

luǎn ér chū huà wéi xiǎo yíng huǒ chóng
卵而出，化为小萤火虫。

gǔ shí hou rén men yǐ wéi shì kū cǎo dào
古时候人们以为是枯草到

le dà shǔ biàn chéng le xiǎo yíng huǒ chóng dà shǔ shí tiān qì shí fēn mēn
了大暑变成了小萤火虫。大暑时天气十分闷

rè lián ní tǔ dōu dà hàn lín lí fēi cháng cháo shī yǔ shén
热，连泥土都"大汗淋漓"，非常潮湿；雨神

bù rěn xīn biàn shí bù shí de xià yì cháng dà yǔ jiǎn shǎo shǔ rè
不忍心，便时不时地下一场大雨，减少暑热。

dà shǔ sān hòu
大暑三候

yī hòu fǔ cǎo wéi yíng
一候腐草为萤，

èr hòu tǔ rùn rù shǔ
二候土润溽暑，

sān hòu dà yǔ shí xíng
三候大雨时行。

车胤囊萤

*

东晋时，有一个人叫车胤，他自幼聪颖好学。但他家里实在太穷了，没钱买油灯供他晚上读书。

一个夏天的晚上，车胤看到会发光的萤火虫，于是想出了一个好办法——抓一把萤火虫放在薄布口袋里吊起来当作灯用。大暑前后，正是萤火虫大量繁衍的时节。在萤火虫微弱的亮光下，车胤刻苦读书，最终考取功名，成为吏部尚书。

智取 "生辰纲"

*

北宋时期，由于宰相蔡京的生日快到了，他的女婿梁世杰便准备了价值十万贯的礼物，取名为"生辰纲"，派人押送给蔡京当寿礼。

这个消息被好汉晁盖和吴用等人知道了，他们利用大暑时节烈日炎炎、酷暑难当的特点，在酒里掺入蒙汗药，用计迷倒押送"生辰纲"的军汉，劫走了这批礼物。

qiū

秋

qiū tiān shì yī fú sè cǎi nóng yù de yóu huà
秋天是一幅色彩浓郁的油画，

jīn huáng de luò rì hé huǒ hóng de fēng yè gòu chéng le
金黄的落日和火红的枫叶构成了

yī fú měi lì de qiū rì tú　　èr shí sì jié qì
一幅美丽的秋日图。二十四节气

zhōng shǔ yú qiū jì de yǒu lì qiū　　chǔ shǔ　　bái
中属于秋季的有立秋、处暑、白

lù　　qiū fēn　　hán lù hé shuāng jiàng
露、秋分、寒露和霜降。

立秋

秋天是收获的季节。立秋时节，农作物生长旺盛，渐渐地结满了丰硕的果实。所谓"一叶梧桐一报秋，稻花田里话丰收"，农民伯伯最开心的日子就要来了。

处暑

"疾风驱急雨，残暑扫除空。"处暑时节，大风带着大雨前来，将残留的热气一扫而空，天气瞬间就变得凉爽起来。此时正是畅游郊野迎秋赏景的好时候。

白露

"蒹葭苍苍，白露为霜。"白露时节，每天清晨叶子和花蕊上就会有很多的露珠，好一幅秋水森森、芦苇苍苍、露水盈盈、晶莹似霜的美丽画卷。

秋分

qiū fēn shì gè měi hǎo yí rén de shí jié　qiū gāo qì shuǎng
秋分是个美好宜人的时节。秋高气爽，
bì kōng wàn lǐ　dān guì piāo xiāng　wǒ men yì biān shǎng jǐng　yì biān
碧空万里，丹桂飘香。我们一边赏景，一边
xiǎng shòu zhe páng xiè de měi wèi　zhēn shì hǎo bú qiè yì ya
享受着螃蟹的美味，真是好不惬意呀！

寒露

hán lù bǎi cǎo kū　hán lù lái lín　huā cǎo diāo
"寒露百草枯"，寒露来临，花草凋
xiè　zhǐ yǒu bú wèi hán lěng de jú huā hái zài wèi qiū tiān zēng tiān
谢，只有不畏寒冷的菊花还在为秋天增添
yì gǔ gāo jié zhī qì　wǒ men yě yíng lái le dēng gāo shǎng jú de
一股高洁之气。我们也迎来了登高赏菊的
zhòng yào jié rì　chóng yáng jié
重要节日——重阳节。

霜降

qiū tiān de zuì hòu yí gè jié qì shì　shuāng jiàng　cǐ
秋天的最后一个节气是"霜降"。此
shí　tiān qì zhuǎn hán　wàn wù zhú jiàn diāo líng　qiū tiān jí jiāng
时，天气转寒，万物逐渐凋零。秋天即将
jié shù　dōng tiān de jiǎo bù lín jìn le
结束，冬天的脚步临近了。

lì
qiū
立秋

立秋，在每年公历8月7日至9日之间。立秋是秋季的第一个节气，是秋季的起点。立秋后，意味着夏季的多雨湿热逐渐减少，但并不代表着炎热的天气就此结束，初秋的天气仍然很热。立秋在古代是个重大的节日，有祭祀土地神、庆祝丰收等习俗，人们多在立秋这一天吃西瓜，有迎接秋天到来之意。

立秋后，从西边吹来的风已经不再是暑天的热风了，而是逐渐趋于凉爽的凉风。随着气温下降，特别是大雨过后的早晨，大地开始凝结露珠，空气中也开始有雾气了；同时，喜欢凉爽的寒蝉开始鸣叫，这也说明天气真的开始变冷了。

[节气故事]

蓐收

*

传说在远古时期，有一位掌管秋天的神叫作蓐收。蓐收的左耳上盘着一条蛇，有着繁衍后代、生生不息的寓意。如果孕妇在立秋后能梦见蛇，就会生一个漂亮的女儿。

蓐收同时也是一位掌管刑法的神，因此在他的右肩上还扛着一柄巨大的斧头。古时候处决犯人，都是在立秋之后，所以叫作"秋后问斩"。这是因为秋天有肃杀之气，所以每到立秋之后，风中总带有一股凉意。

一叶知秋 (yí yè zhī qiū)

*

相传，有一个小女孩在院子里种了一棵梧桐树，遇到荒年，小女孩饿得奄奄一息也不愿以梧桐树皮充饥。梧桐树不忍心看到小女孩饿死，就违反生长规律，在一夜之间长出了很多果子。

天帝知道了这件事，便命令梧桐树在立秋这天由内而外地燃烧。小女孩心痛不已，紧紧地抱住梧桐树。

大火连烧多天后，人们看到一只凤凰从火中飞出，直冲云霄。后来，梧桐成为最先感受到秋意的树，它掉落第一片叶子时，便预示着立秋了。

chǔ 处
shǔ 暑

chǔ shǔ　　zài měi nián gōng lì　 yuè　　rì zhì　　rì zhī jiān
处暑，在每年公历8月22日至24日之间。

chǔ　　yě jiù shì　 chū　　yǒu　 zhōng zhǐ　 lí kāi　 de yì
处，也就是"出"，有"终止、离开"的意

si　 dào le chǔ shǔ　 biǎo shì yán rè de kù shǔ jí jiāng jié shù　 tiān
思。到了处暑，表示炎热的酷暑即将结束，天

qì yóu yán rè xiàng mēn rè zhuǎn biàn　 chǔ shǔ hòu　 yì wèi zhe jìn rù le
气由炎热向闷热转变。处暑后，意味着进入了

qì xiàng yì yì shàng de qiū tiān　 tí xǐng rén men qiū jì zhèng zài qiāo qiāo de
气象意义上的秋天，提醒人们秋季正在悄悄地

dào lái　 dàn bìng méi yǒu zhēn zhèng jìn rù liáng shuǎng de qiū jì　 chǔ shǔ yǒu
到来，但并没有真正进入凉爽的秋季。处暑有

chī yā zi　 fàng hé dēng　 kāi yú jié　 jiān yào chá　 jì bài tǔ dì
吃鸭子、放河灯、开鱼节、煎药茶、祭拜土地

gōng děng xí sú
公等习俗。

chǔ shǔ hòu　　 tiān gāo yún dàn　　 shì néng jiàn dù zuì hǎo de jì
处暑后，天高云淡，是能见度最好的季

节，老鹰经常会在此时活动，捕捉各种猎物。但老鹰捕捉到猎物后，并不是先自顾自地吃，而是会把这些鸟整齐地排列在窝前，像是祭拜为它牺牲的猎物一样。大地上的各种植物也不再发新芽，万物开始凋零，一派肃穆的景象。而这时，黍、稷、稻、粱等农作物成熟了，等待着农民伯伯们的收割。

处暑三候

一候鹰乃祭鸟，

二候天地始肃，

三候禾乃登。

燃放河灯

*

远古时期，水神共工因嫉妒深受百姓爱戴的火神祝融，向祝融挑战，最后战败逃跑，撞倒了擎天柱——不周山。从此天地塌陷，水向东流，尸横遍野。祝融也因此被处死，但他将自己的魂魄留存于沿河漂流的莲花上，召唤死难者的亡灵，以赎罪孽。

祝融被处死的这天就被称为"处暑"。每到处暑这一天，人们就到河边燃放"河灯"，恭请莲花上的祝融魂魄，以寄托对故去亲人的思念。

鬼 节

*

相传，有一个叫目连的僧人在历经艰辛后，终于在处暑时节见到了已经去世的母亲，可是母亲正被一群饿鬼纠缠，目连想盛饭给母亲吃，但饭菜都被饿鬼抢走了。目连只好向佛祖求助，佛祖被他的孝心感动，授予他《盂兰盆经》。目连按照指示，用盂兰盆盛素菜珍果供奉母亲，才使饥饿的母亲吃到了食物。后来人们便将处暑过后的这两天（农历七月十五日）用来祭祀祖先，逐渐形成了人们所说的"鬼节"（佛教称"盂兰盆节"）。

bái
白
露

[节气知识]

　　白露，在每年公历9月7日至9日之间。从这一天开始，白天与晚上的温差越来越大，夜晚空气中的水汽接触到地面或草木时，迅速凝结为细小的露珠。这些露珠晶莹剔透，太阳光照在上面发出洁白的光芒，所以被称为"白露"。此时暑气还没有完全消尽，是一年中昼夜温差最大的时候。白露一到，人们迎来作物成熟、瓜果飘香的时节。

　　敏感的鸟儿已经感受到温度的变化，大雁

kāi shǐ nán fēi, yàn zi yě fēn fēn qǐ
开始南飞，燕子也纷纷起

chéng, fēi wǎng nán fāng guò dōng 。 xǐ què
程，飞往南方过冬。喜鹊

hé má què bú huì qiān wǎng nán fāng, yīn
和麻雀不会迁往南方，因

wèi tā men shì liú niǎo（zhōng nián qī xī
为它们是留鸟（终年栖息

yú yí gè dì qū ér bù qiān xǐ de niǎo
于一个地区而不迁徙的鸟

lèi），huì yì zhí liú zài běn dì guò dōng 。 tā men yī kào hòu hòu de
类），会一直留在本地过冬。它们依靠厚厚的

yǔ máo bǎo nuǎn，yě huì wèi guò dōng zuò bì yào de zhǔn bèi 。 suī rán dōng
羽毛保暖，也会为过冬做必要的准备。虽然冬

tiān lǐ shí wù shǎo，tā men hái shi néng xiǎng chū gè zhǒng bàn fǎ wèi zì jǐ
天里食物少，它们还是能想出各种办法为自己

zhǎo lái shí wù
找来食物。

69

大禹治水

*

在很久以前，洪水泛滥，人们遭受了很大的灾难。大禹继承父亲的遗志，一心想要将洪水治理好，为了治水他曾三次经过家门而不进去。后来他采取疏通水道的办法，把洪水引入大海里，让百姓不再受洪水侵袭，因此人们都十分感谢他。

后来太湖畔的渔民称大禹为"水路菩萨"，每年白露时节都会举行祭大禹的香会，以此来纪念大禹对百姓的贡献。

chī xī guā
吃西瓜

*

相传朱元璋在南京称帝后，他手下的一些将士将癞痢疮(一种头癣，表现为脱发、脓包等症状)带到了南京城。不久，南京城里很多百姓的头上也生了癞痢疮。这时，有人得了一个偏方——让生癞痢疮的孩子每天吃西瓜，后来癞痢疮就消失了。

癞痢疮是不是因为吃了西瓜而消失，人们并不清楚，但他们依旧纷纷效仿，也买了西瓜啃吃起来。时值白露之际，由此形成了"吃西瓜"的习俗，一直流传至今。

秋　分
qiū
fēn

[节气知识]

　　秋分，在每年公历9月22日至24日之间。在古代，秋分是传统的"祭月节"，中秋节就是由传统的"祭月节"演变而来。秋分居于秋季90天之中，平分了秋季。秋分这天，全球各地昼夜等长。秋分后，我国大部分地区进入了凉爽的秋季，昼夜温差逐渐加大，气温逐日下降。自2018年起，我国将每年秋分设立为"中国农民丰收节"。

　　秋分后，随着气温逐渐降低，天气越来越

阴凉，所以不再打雷了。

由于天气变冷，各种虫类也开始躲藏于土穴中，用细土（即坯）将洞口封起来，防止寒气侵入。秋分后，降雨逐渐变得稀少，并且由于天气干燥，水分蒸发快，河流与湖泊中的水量渐渐变少，一些沼泽和水洼甚至干涸。

秋分三候

一候雷始收声，

二候蛰虫坯户，

三候水始涸。

73

秋分祭月

*

相传，嫦娥偷吃了西王母送给后羿的灵药后，身体逐渐变轻，慢慢地飘向了空中，一直飘到月亮上面才停下来，从此嫦娥只能与月亮上的玉兔为伴。

后来，在秋分这一天，人们会用月饼祭拜月亮，以求全家能够团团圆圆。

是不是听着很像中秋节呢？其实，我们今天熟知的中秋节，实际上就是由秋分的祭月节演变而来的。

吃 "秋菜"

*

在我国岭南地区，有秋分当日吃 "秋菜" 的习俗。"秋菜" 是一种野苋菜，嫩绿的、细细的，约有巴掌那样大。每到秋分那天，大家都会去田间采摘 "秋菜"，回家后将 "秋菜" 与鱼一起炖煮，名曰 "秋汤"。孩童们更有顺口溜道："秋汤灌肠，洗涤肝肠。阖家老少，平安健康。"因此，在秋分当日吃 "秋菜"，饱含了人们祈求家宅安宁、平安健康的愿望。

寒露

hán
lù

寒露，在每年公历10月7日至9日之间。寒露之后，昼渐短，夜渐长，日照逐渐减少，热气慢慢退去，同时寒气渐生，昼夜温差较大。因此早晨的露水更多，地面上洁白晶莹的露水快要凝结成霜了，且带寒意，故名寒露。寒露时节，南方秋意渐浓，风凉气爽，干燥少雨；而北方大部分地区已经是深秋或即将进入冬季。

寒露后，随着天气逐渐变冷，北方的鸿雁会在天空中排成"一"字形或"人"字形的队列大举南迁（从白露到寒露，大雁先后飞往南方过冬，早些到达的大雁就像是那里的主人，晚到的大雁会被当成"宾客"对待）。

一候鸿雁来宾，
二候雀入大水为蛤，
三候菊有黄华。

特别是深秋天寒的时候，雀鸟都不见了，古人看到海边突然出现很多蛤蜊，其颜色和条纹与雀鸟非常相似，以为这些蛤蜊是雀鸟变成的。而这时，金黄的菊花盛开，好不繁盛、热闹。

寒露和荞麦

*

很久以前，一个叫寒露的男子和一个叫荞麦的女子结为夫妻，夫妻俩很恩爱，可是荞麦因病去世了。寒露每逢思念荞麦，就会到坟上哭一场，哭泣的次数多了，坟头便长出了幼苗，寒露因思念妻子，便把这种植物叫作荞麦。

寒露将荞麦的种子撒在田里，任凭其年复一年地生长，可是寒露还是因相思成疾去世了。那年秋旱，所有人都颗粒无收，只有寒露田里的荞麦丰收了，人们依靠荞麦熬过荒年后，便把寒露去世的那天称为"寒露节"。

78

重阳节
chóng yáng jié

*

农历九月初九的重阳节正逢寒露节气，据
nóng lì jiǔ yuè chū jiǔ de chóng yáng jié zhèng féng hán lù jié qì jù
说重阳节的起源与东汉时期的桓景密切相关。
shuō chóng yáng jié de qǐ yuán yǔ dōng hàn shí qī de huán jǐng mì qiè xiāng guān

东汉时期，汝河有个瘟魔，只要它一出
dōng hàn shí qī rǔ hé yǒu gè wēn mó zhǐ yào tā yì chū
现，家家有人病倒，天天有人丧命，这一带的
xiàn jiā jiā yǒu rén bìng dǎo tiān tiān yǒu rén sàng mìng zhè yí dài de
百姓受尽了瘟魔的蹂躏。于是桓景翻山涉水、
bǎi xìng shòu jìn le wēn mó de róu lìn yú shì huán jǐng fān shān shè shuǐ
不辞劳苦，向神仙请教除掉瘟魔的方法，神仙
bù cí láo kǔ xiàng shén xiān qǐng jiào chú diào wēn mó de fāng fǎ shén xiān
给了桓景一把降妖青龙剑。
gěi le huán jǐng yì bǎ xiáng yāo qīng lóng jiàn

九月初九那天，瘟魔出水走上岸来，桓
jiǔ yuè chū jiǔ nà tiān wēn mó chū shuǐ zǒu shàng àn lái huán
景抽出宝剑和它斗了几个回合，终于将瘟魔
jǐng chōu chū bǎo jiàn hé tā dòu le jǐ gè huí hé zhōng yú jiāng wēn mó
杀死。百姓们感激桓景的贡献，把这一天称作
shā sǐ bǎi xìng men gǎn jī huán jǐng de gòng xiàn bǎ zhè yì tiān chēng zuò
"重阳节"。
chóng yáng jié

79

霜降
shuāng
jiàng

[节气知识]

　　霜降，在每年公历10月23日前后，是秋季的最后一个节气，是秋季到冬季的过渡。霜降时，早晚天气较冷，中午则较热，气温骤降，温差较大，秋燥明显。由于"霜"是天冷、气温骤降、昼夜温差变化大的表现，故名"霜降"。霜降后，植物渐渐失去生机，深秋景象明显，冷空气来得越来越频繁，大地一片萧索。

　　随着气温逐渐转凉，豺狼开始四处捕猎。

měi dāng chái láng bǔ huò dào liè wù shí
每当豺狼捕获到猎物时，

tā men zǒng shì bǎ liè wù fàng zài dì shàng
它们总是把猎物放在地上

pái hǎo rán hòu wéi rào zhe liè wù bù
排好，然后围绕着猎物不

tíng de zhuàn quān hé háo jiào děng zhè ge
停地转圈和嚎叫，等这个

guò chéng jié shù hòu zài kāi shǐ xiǎng yòng
过程结束后再开始享用，

shuāng jiàng sān hòu
霜降三候

yī hòu chái nǎi jì shòu
一候豺乃祭兽，

èr hòu cǎo mù huáng luò
二候草木黄落，

sān hòu zhé chóng xián fǔ
三候蛰虫咸俯。

fǎng fú zài jì tiān yí yàng zhè shí de gè zhǒng cǎo mù yě yǐ jiàn jiàn
仿佛在祭天一样。这时的各种草木，也已渐渐

kū huáng diào luò zǎo yǐ duǒ cáng zài dì dǐ xià de zhé chóng men kāi
枯黄、掉落。早已躲藏在地底下的蛰虫们，开

shǐ zài dòng zhōng bú dòng bù shí jìn rù xiū mián de zhuàng tài zhǔn bèi dù
始在洞中不动不食，进入休眠的状态，准备度

guò màn cháng de dōng jì
过漫长的冬季。

81

fēi shuāng qīng nǚ
飞霜青女

*

　　相传，一位掌管霜雪的女神——青女
（砍桂树的吴刚的妹妹吴洁）下凡来到了人
间，她站在青要山的最高峰上，手抚一把七弦
琴，琴音徐出，雪花慢慢地随着颤动的琴弦飘
然而下。

　　雪花洒在大地上，天空和大地一起白了
头。霜冻雪封，雪花掩埋了世间的一切，所以
人们把这一天称为"霜降"。

霜 降 吃 柿 子
shuāng jiàng chī shì zi

*

传说明朝开国皇帝朱元璋早年因家境贫
chuán shuō míng cháo kāi guó huáng dì zhū yuán zhāng zǎo nián yīn jiā jìng pín

寒，曾做过一段时间的和尚，经常四处乞讨，
hán céng zuò guo yí duàn shí jiān de hé shang jīng cháng sì chù qǐ tǎo

风餐露宿。
fēng cān lù sù

一天，恰逢霜降，几天没吃饭的朱元璋饿
yì tiān qià féng shuāng jiàng jǐ tiān méi chī fàn de zhū yuán zhāng è

晕滚下山坡，被一棵柿子树挡住。他梦见一位
yūn gǔn xià shān pō bèi yì kē shì zi shù dǎng zhù tā mèng jiàn yí wèi

老神仙站在树下说："柿子救命！"被吓醒的朱
lǎo shén xiān zhàn zài shù xià shuō shì zi jiù mìng bèi xià xǐng de zhū

元璋惊喜地发现，树上果然结满了柿子，于是
yuán zhāng jīng xǐ de fā xiàn shù shàng guǒ rán jiē mǎn le shì zi yú shì

他饱餐了一顿，保住了性命。
tā bǎo cān le yí dùn bǎo zhù le xìng mìng

此后，霜降节吃柿子的习俗便流传了
cǐ hòu shuāng jiàng jié chī shì zi de xí sú biàn liú chuán le

下来。
xià lái

dōng

冬

dōng tiān　　 bái xuě ái ái　　 yín zhuāng sù
冬 天 ， 白 雪 皑 皑 ， 银 装 素

guǒ　 fǎng fú shì yí gè měi lì de tóng huà shì
裹 ， 仿 佛 是 一 个 美 丽 的 童 话 世

jiè　 èr shí sì jié qì zhōng shǔ yú dōng jì de yǒu
界 。 二 十 四 节 气 中 属 于 冬 季 的 有

lì dōng　　 xiǎo xuě　　 dà xuě　　 dōng zhì　　 xiǎo hán
立 冬 、 小 雪 、 大 雪 、 冬 至 、 小 寒

hé dà hán
和 大 寒 。

立冬

dōng tiān shì chén shuì de jì jié　　lì dōng shí jié　　shì jiè
冬天是沉睡的季节。立冬时节，世界
hǎo xiàng tū rán ān jìng le　　tiān shàng bú zài yǒu pán xuán gāo fēi de
好像突然安静了。天上不再有盘旋高飞的
yīng yàn　　lù dì shàng de xiǎo dòng wù men yě zhú jiàn jìn rù le dōng
鹰雁，陆地上的小动物们也逐渐进入了冬
mián　　wàn wù jì jìng　　yí pài xiáng hé
眠。万物寂静，一派祥和。

小雪

zhī hòu jiù dào le xiǎo xuě shí jié　　dà jiā fēn fēn kāi shǐ
之后就到了小雪时节。大家纷纷开始
wèi guò dōng zuò zhǔn bèi　　nǎi nai máng zhe yān cài　　yé ye máng zhe
为过冬做准备，奶奶忙着腌菜，爷爷忙着
shā zhū　　mā ma máng zhe zuò là ròu　　bà ba máng zhe niàng jiǔ
杀猪，妈妈忙着做腊肉，爸爸忙着酿酒，
xiǎo péng you yě bú yào wàng le xué xí o
小朋友也不要忘了学习哦！

大雪

dà xuě jié qì de dào lái　　yì wèi zhe hán dōng jiāng zhì
大雪节气的到来，意味着寒冬将至，
jī xuě fù gài le dà dì　　wàn wù fǎng fú dōu gài shàng le yì céng
积雪覆盖了大地，万物仿佛都盖上了一层
hòu hòu de bèi zi　　xiǎo péng you men kě yǐ chū qù dǎ xuě zhàng
厚厚的被子。小朋友们可以出去打雪仗、
duī xuě rén la
堆雪人啦！

冬至

中国自古就有"冬至归家"的传统，吃一碗滚烫的饺子，冬天不再寒冷，也不会冻坏耳朵；来一碗汤圆，意味着一家人团团圆圆。

小寒

小寒是一年中最冷的节气，梅花却不畏寒冬，傲然绽放。正所谓"不经一番彻骨寒，怎得梅花扑鼻香"，小朋友们也要向梅花学习，磨炼意志。

大寒

冬天的最后一个节气是大寒，也是二十四节气中的最后一个。酷寒凛凛，此时大家也要注意防寒、防潮，等熬过这寒冬，我们就要迎接新的一年了。

立^{lì}冬^{dōng}

立冬，在每年公历11月7日或8日。立冬，
表示从秋季向冬季过渡，意味着干燥少雨的秋
季已经过去，自此进入了天寒地冻的冬季。立
冬后，日照时间将继续缩短，正午太阳的高度
也会继续降低，天气也越来越寒冷。在古代，
立冬是个重大的节日，民间有祭祖、宴饮、卜
岁等习俗。

立冬后，天气越来越寒冷，地上的水已经
结成冰块儿了，大地也开始冻结，野鸡一类的

dà niǎo bù duō jiàn le　hǎi biān què kě
大鸟不多见了，海边却可

yǐ kàn dào wài ké yǔ yě jī yǔ máo yán
以看到外壳与野鸡羽毛颜

sè xiàng sì de dà gé　suǒ yǐ gǔ rén
色相似的大蛤。所以古人

yǐ wéi　yě jī （ jí zhì ） dào lì
以为，野鸡（即雉）到立

dōng hòu jiù biàn chéng dà gé （ jí shèn ）
冬后就变成大蛤（即蜃）

le　"hǎi shì shèn lóu" jiù shì dà gé tǔ qì ér xíng chéng de
了，"海市蜃楼"就是大蛤吐气而形成的。

lì dōng sān hòu
立冬三候

yī hòu shuǐ shǐ bīng
一候水始冰，

èr hòu dì shǐ dòng
二候地始冻，

sān hòu zhì rù dà shuǐ wéi shèn
三候雉入大水为蜃。

89

贺 冬

*

在古代，立冬有贺冬的习俗。

贺冬又称"拜冬"，早在汉代就有此习俗了。每到立冬这天，人们便换上新衣服，互相庆贺冬天来了。每逢此日，孩童们便要整理行装，携带家里准备的礼物，可以是腊肉、新鲜水果和蔬菜等，衣冠端正地去学校或老师家里，进行入学拜师仪式。

赤豆糯米饭

*

相传，很久以前有一位叫共工氏的人，他的儿子不成才，并且作恶多端，后来死在了立冬这一天，可是他死后并没有离开，而是变成了疫鬼，继续残害百姓。

人们知道这个疫鬼最怕赤豆后，就在每年的这一天煮赤豆糯米饭，全家一起吃赤豆糯米饭来驱避疫鬼，防灾祛病。所以在江南水乡，逐渐形成了在立冬之夜吃赤豆糯米饭的习俗。

xiǎo
xuě
小雪

xiǎo xuě　　zài měi nián gōng lì　　yuè　　rì huò　　rì　shì fǎn
小雪，在每年公历11月22日或23日，是反

yìng qì hòu tè zhēng hé jiàng shuǐ de jié qì　　xiǎo xuě hòu　　hán cháo hé qiáng
映气候特征和降水的节气。小雪后，寒潮和强

lěng kōng qì huó dòng pín fán　　tiān qì hán lěng　　jiàng shuǐ xíng shì yóu yǔ gǎi wéi
冷空气活动频繁，天气寒冷，降水形式由雨改为

xuě　　dàn yóu yú cǐ shí hái wèi dào fēi cháng hán lěng de chéng dù　　　suǒ yǐ
雪，但由于此时还未到非常寒冷的程度，所以

jiàng xuě liàng hái bù zú　　gù chēng zuò xiǎo xuě　　yì bān ér yán　　xiǎo xuě
降雪量还不足，故称作小雪。一般而言，小雪

shí jié yǐ jīng jìn rù chū dōng　　tiān qì zhú jiàn zhuǎn lěng　　dì miàn shàng de
时节已经进入初冬，天气逐渐转冷，地面上的

lù zhū yě biàn chéng le yán shuāng　　tiān kōng zhōng de yǔ dī huì biàn chéng xuě
露珠也变成了严霜，天空中的雨滴会变成雪

huā　　zhěng gè dà dì xiàng pī shàng le yì céng jié bái de sù zhuāng
花，整个大地像披上了一层洁白的素装。

到了小雪时节，由于天气越来越寒冷，降雪取代了降雨，空气也更加干燥，因此彩虹像躲起来一样，人们无法见到。古人认为，小雪后天空中的阳气会慢慢上升，大地中的阴气开始逐渐下降，因此导致阴阳不交，万物失去了生机，开始闭塞而转入严寒的冬天。

小雪三候

一候虹藏不见，

二候天气上升地气下降，

三候闭塞而成冬。

晒太阳
shài tài yáng

*

宋国有一个农夫，由于家境贫穷，冬天只穿破麻烂絮，有一天他到村子的东边去干活的时候，面朝黄土背朝天，他的后背在太阳底下晒得暖暖和和的，特别舒服。

他对妻子说："应该还没有人知道后背晒太阳的好处。我们可以把这个方法献给我们的君王，一定会得到重赏！"

后来人们也渐渐知道小雪时节多晒太阳对身体好，便有了在小雪时节晒太阳的说法。

94

chī cí bā
吃糍粑

*

在我国南方的一些地区，小雪时节有吃糍粑的习俗。俗话说："糍粑碌碌烧。"

"碌碌"，是车轮轱辘"碌碌"滚动时发出的声音，指要用筷子卷起糯米粉团，像车轱辘那样前后左右滚动，以便粘上芝麻、花生、砂糖等辅料。"烧"，是指糍粑要热气腾腾，这样才吃着暖和有生气。因此，吃糍粑一要热，二要黏才过瘾。

dà
xuě
大雪

dà xuě zài měi nián gōng lì yuè rì zhì rì zhī jiān dà
大雪，在每年公历12月6日至8日之间。大

xuě shì zhí jiē fǎn yìng jiàng shuǐ de jié qì yì wèi zhe tiān qì yuè lái yuè hán
雪是直接反映降水的节气，意味着天气越来越寒

lěng jiàng shuǐ yuè lái yuè duō qiáng lěng kōng qì pín fán yīn cǐ dà xuě
冷，降水越来越多，强冷空气频繁，因此大雪

hòu zuì cháng jiàn de jiù shì jiàng wēn xià xuě zài wǒ guó dà bù fen dì
后最常见的就是降温、下雪。在我国大部分地

qū dà xuě shí jié hòu de dà dì dōu yǐ jīng pī shàng le dōng rì de shèng
区，大雪时节后的大地都已经披上了冬日的盛

zhuāng yín zhuāng sù guǒ yí pài xiáng hé mín jiān yǒu zài dà xuě hòu
装，银装素裹，一派祥和。民间有在大雪后

kāi shǐ yān zhì là ròu xiāng cháng guān shǎng fēng hé de xí sú
开始腌制腊肉香肠、观赏封河的习俗。

dà xuě shí jié hòu tiān qì gèng jiā hán lěng
大雪时节后，天气更加寒冷，

hán háo niǎo　　jí hé dàn　　yě tíng zhǐ
寒 号 鸟 （ 即 鹖 旦 ） 也 停 止

le míng jiào　　lǎo hǔ què kāi shǐ xiàng cí
了 鸣 叫 ， 老 虎 却 开 始 向 雌

xìng fā chū qiú ǒu de xìn hào　　kāi shǐ
性 发 出 求 偶 的 信 号 ， 开 始

fán yǎn hòu dài　　lì tǐng　　lán cǎo de
繁 衍 后 代 。 荔 挺 （ 兰 草 的

yì zhǒng　　de yè zi xiàng pú cǎo yí
一 种 ） 的 叶 子 像 蒲 草 一

yàng xì xiǎo　　gēn bù jiào yìng　　yīn cǐ tā fēi cháng nài hán　　zài dà
样 细 小 ， 根 部 较 硬 ， 因 此 它 非 常 耐 寒 ， 在 大

xuě hòu fā chū le xīn yá
雪 后 发 出 了 新 芽 。

yī hòu hé dàn bù míng
一 候 鹖 旦 不 鸣 ，

èr hòu hǔ shǐ jiāo
二 候 虎 始 交 ，

sān hòu lì tǐng chū
三 候 荔 挺 出 。

[节气故事]

"年"兽

*

相传，"年"是一种长着尖角的凶猛怪兽，它虽然长年深居海底，但每到除夕，都会爬上岸来伤人。人们对这种动物十分恐惧，为了躲避伤害，每到年底就足不出户，但不出门就没有吃的。后来聪明的人们想出了一个方法：将肉食腌制存放，新鲜的蔬菜则风干保存。就这样，渐渐形成了在大雪时节腌肉的习俗，直到现在还有人用这种方法保存食物。

寒号鸟

*

夏天时，寒号鸟全身都长满了绚丽的羽毛，非常美丽。因此寒号鸟特别骄傲，觉得自己是天底下最漂亮的鸟了。它整天摆弄着羽毛，到处炫耀。

到了秋天，鸟儿们有的飞到南方过冬，有的留下来，囤积食物，修理巢穴，为过冬做准备。只有寒号鸟，依旧整日到处炫耀自己的羽毛。

冬天终于来了，鸟儿们都回到自己温暖的窝里。这时的寒号鸟，身上漂亮的羽毛脱落了，在大雪时节被冻死，停止了鸣叫。

99

冬至
dōng
zhì

[节气知识]

　　冬至，在每年公历12月21日至23日之间，
以12月22日居多。冬至是传统的祭祖节日，同
时也和夏至一样是反映日照时长的节气。冬至
是一年里太阳最偏南的一天，是我国所在的北
半球白天最短、夜晚最长的一天。冬至之后，
全国大部分地区的温度低至零摄氏度。因此，
冬至意味着寒冷的冬天真的到来了。

　　冬至后，白天逐日变长，夜晚逐日变短。

suī rán tài yáng zhào shè zài dà dì shàng de shí jiān yuè lái yuè jiǔ le， dàn
虽然太阳照射在大地上的时间越来越久了，但

shì pà lěng de xiǎo qiū yǐn yī rán bǎ shēn tǐ quán suō zhe bǎo nuǎn。 jí xiáng
是怕冷的小蚯蚓依然把身体蜷缩着保暖。吉祥

xìng fú de shǐ zhě —— mí lù， zài dōng zhì zhè tiān bǎ tā tuō luò de
幸福的使者——麋鹿，在冬至这天把它脱落的

měi lì de lù jiǎo dàng zuò lǐ wù sòng gěi
美丽的鹿角当作礼物送给

dōng zhì sān hòu
冬至三候

rén men， liú xià měi hǎo de zhù fú。
人们，留下美好的祝福。

yī hòu qiū yǐn jié
一候蚯蚓结，

èr hòu mí jiǎo jiě
二候麋角解，

nuǎn nuǎn de tài yáng róng huà le bīng dòng de
暖暖的太阳融化了冰冻的

sān hòu shuǐ quán dòng
三候水泉动。

quán shuǐ， ràng tā men huān kuài de zài shān
泉水，让它们欢快地在山

jiān chàng gē tiào wǔ
间唱歌跳舞。

饺子的由来

*

东汉时期，有一位名医叫张仲景。有一年冬天，他在回乡的途中，看到很多人面黄肌瘦，冻得不成样子，很多人的耳朵都冻坏了。

张仲景为了帮助人们，就在冬至那天，给大家煮一种叫"娇耳"的食物，让人们吃了后不再怕冷受冻。由于"娇耳"很像耳朵，人们吃了后被冻伤的耳朵也治好了，由此就形成了在冬至吃"娇耳"的习俗。"娇耳"后来演变为饺子，一直流传至今。

馄饨的由来

*

冬至除了吃饺子，盛行的另一种风俗是吃馄饨。

相传吴越争霸时，吴王打败越王，不仅获得了金银财宝，还强娶回了心灵手巧的西施。吴王有一次试吃了西施用面皮包裹着馅料做的食物，大为赞叹，问西施这是什么东西。西施想着这昏君沉迷美色，不理朝政，就说此物是馄饨（因与"混沌"发音相似，便取其意）。此后馄饨便流入民间，人们为了纪念西施的智慧和创造力，便在冬至时吃馄饨。

103

xiǎo
hán
小寒

[节气知识]

xiǎo hán　　　 zài měi nián gōng lì　 yuè　 rì zhì　 rì zhī jiān　　xiǎo
　小寒，在每年公历1月5日至7日之间。小

hán shì biǎo shì qì wēn lěng nuǎn biàn huà de jié qì　　 yì wèi zhe hán lěng dōng
寒是表示气温冷暖变化的节气，意味着寒冷冬

jì de zhèng shì kāi shǐ　　 wǒ guó jìn rù le yì nián zhōng zuì hán lěng de rì
季的正式开始，我国进入了一年中最寒冷的日

zi　 xiǎo hán jié qì hòu　　dà fēng hū xiào　　jiàng wēn jí kuài　　 yǔ xuě
子。小寒节气后，大风呼啸，降温极快，雨雪

pín fán　　 qì wēn jí dī　　 tǔ rǎng dòng jié　　 hé liú fēng dòng　　 wǒ guó
频繁，气温极低，土壤冻结，河流封冻。我国

dà bù fen dì qū yǐ jìn rù yán hán shí qī
大部分地区已进入严寒时期。

xiǎo hán jié qì hòu　　 jǐn guǎn běi fāng de qì hòu yī jiù hán
　小寒节气后，尽管北方的气候依旧寒

lěng　　 dàn zài nán fāng guò dōng de dà yàn yǐ jīng kāi shǐ zhǔn bèi qiān xǐ
冷，但在南方过冬的大雁已经开始准备迁徙

huí běi fāng　　 yīn wèi lù tú yáo yuǎn　　 tā men zhí dào lì chūn qián hòu
回北方，因为路途遥远，它们直到立春前后

cái néng huí dào yuán lái chū fā de dì
才能回到原来出发的地
fāng
方。喜鹊似乎能够感觉到
dà dì de méng dòng kāi shǐ zhù cháo
大地的萌动，开始筑巢，
bìng běn néng de jiāng shù shàng dā de wō
并本能地将树上搭的窝
mén cháo xiàng nán miàn zhì niǎo zài xiǎo hán
门朝向南面。雉鸟在小寒
hòu yě huì yīn gǎn dào dà dì shàng yáng qì de shēng zhǎng ér kāi shǐ
后，也会因感到大地上阳气的生长而开始
míng jiào jí gòu
鸣叫（即雊）。

xiǎo hán sān hòu
小寒三候

yī hòu yàn běi xiāng
一候雁北乡，
èr hòu què shǐ cháo
二候鹊始巢，
sān hòu zhì shǐ gòu
三候雉始雊。

105

小寒送礼物

*

据说在唐朝的时候，小寒时节往往与腊日(古时腊祭之日，农历腊月初八)相邻不远，由于天气寒冷，因此社会上盛行相互赠送礼物的习俗。上至达官显贵，下至平民百姓都不例外。那人们到底互相赠送什么礼物呢？有口脂、面药、冬衣、腊肉等。口脂、面药都是用来涂抹嘴唇和脸面防止冻伤的。冬衣、腊肉更不用说，当然是用来保暖和食用啦！即使到了现在，这些仍然是我们冬季的必备物品。

腊八粥

*

据说，明太祖朱元璋小时候家里很穷，便给一家财主放牛。可是牛在过桥时摔断了腿，老财主便把朱元璋关起来不给饭吃。饥饿的朱元璋发现屋里有一个鼠洞，他扒开一看，里面有米、豆，还有红枣。他把这些东西合在一起煮成粥后，吃起来十分可口。

后来朱元璋当了皇帝，又想起了这件事，便叫御厨煮了一锅这样的粥。吃的这一天正好是农历腊月初八，因此就叫腊八粥。做法传到民间后，便有了在小寒时节吃腊八粥避寒的习俗。

dà
hán

dà 大
hán 寒

[节气知识]

　　大寒，在每年公历1月20日或21日。大寒是
二十四节气中的最后一个节气，同小寒一样，
也是表示天气寒冷程度的节气，同时也是一年
中最寒冷的时期。大寒节气后，风大、低温、
积雪不化，呈现出冰天雪地、天寒地冻的严寒
景象。

　　大寒后，母鸡开始慢慢地孵化小鸡了，鹰·
隼（比较凶猛的鸟）之类的征鸟经常盘旋于空
中，四处寻找猎物，以补充身体需要的热量抵

御严寒，它们此时正处于捕食能力极强的状态。在一年的最后十五天里，由于非常寒冷，水域中的冰可以一直冻到水中央（即水泽腹），而且最厚、最结实。

大寒三候

一候鸡始乳，

二候征鸟厉疾，

三候水泽腹坚。

109

灶王爷

*

相传，灶王爷是玉皇大帝派到人间监督善恶的神，他每年都要上天向玉皇大帝汇报人间的事情。在他返回天上之前，人们会在农历腊月二十三为他设祭送行。

人们为了不让灶王爷说坏话，便想了一个方法：把关东糖（一种麦芽糖，又称灶糖、麻糖等）用火化开，涂抹在灶王爷嘴上。寓意是"上天言好事，下界保平安"。后来在大寒期间祭灶王，逐渐成为民间一种祈福的习俗。

mǎi zhī ma jiē
买芝麻秸

*

在我国一些地区，每到大寒时节，街上就有人叫卖芝麻秸，人们争相购买，供不应求。

由于芝麻秸又轻又脆，一捏就碎，所以到了除夕夜，人们就将芝麻秸随意地放在路上，供孩童踩碎，取其谐音"彩岁"。"碎""岁"谐音，寓意是"岁岁平安"，以求新年里有好彩头，祈求新的一年平平安安、身体健康。

图书在版编目（CIP）数据

二十四节气故事：自然律动 / 学而思教研中心编著.
济南：山东电子音像出版社，2024. 10. -- ISBN 978-7-
83012-548-6

Ⅰ . P462-49

中国国家版本馆 CIP 数据核字第 2024B168G2 号

出 版 人：刁 戈
责任编辑：蒋欢欢　和晨赟
装帧设计：学而思教研中心设计组

ERSHISI JIEQI GUSHI ZIRAN LÜDONG
二十四节气故事 自然律动

学而思教研中心　编著

主管单位：山东出版传媒股份有限公司
出版发行：山东电子音像出版社
地　　址：济南市英雄山路 189 号
印　　刷：湖南天闻新华印务有限公司
开　　本：710mm×1000mm　1/16
印　　张：7.5
字　　数：96 千字
版　　次：2024 年 10 月第 1 版
印　　次：2024 年 10 月第 1 次印刷
书　　号：ISBN 978-7-83012-548-6
定　　价：22.80 元

阅读指导

　　充满趣味的阅读指引与内容导入，既有对配套书籍相关内容的介绍与分析，也有对阅读方法的细致指导与讲解，可辅助教师教学及家长辅导，亦可供孩子自主学习使用。

阅读测评

　　我们根据不同年龄段孩子的注意力集中情况、阅读速度、理解水平以及智力和心理发展特点，有针对性地对孩子进行阅读力的培养。孩子也可以根据自己的阅读水平，自主规划阅读时间。

年级	日均阅读量	重点阅读力培养
1—2	约 1000 字	认读感知能力，信息提取能力
3—4	约 6000 字	推理判断能力，分析归纳能力
5—6	约 9000 字	评价鉴赏能力，迁移运用能力

阅读活动

　　通过形式多样的阅读活动，调动孩子的阅读积极性，培养孩子听、说、读、写、思多方面的能力，让孩子能够综合应用文本，更有创造性地阅读。

六大阅读能力

认读感知能力
认读全书文字
感知故事情节

信息提取能力
提取直接信息
提取隐含信息

推理判断能力
推理词句含义
作出预判推断

分析归纳能力
分析深层含义
归纳主要内容

评价鉴赏能力
评价人物形象
鉴赏词汇句子

迁移运用能力
内容联想延伸
知识迁移运用

阅读规划

第一关 立春

第二关 雨水

第三关 惊蛰 春分

第四关 清明

第五关 谷雨

第六关 立夏

第七关 小满

第八关 芒种 夏至

第九关 小暑

第二十一关
第二十二关
第十九关
第十八关
第十七关
第十六关
第十五关
第十四关
第十三关
第十二关
第十一关
第十关

小朋友，你有没有发现每年都会有相同的事情发生？春天，海棠花开得红红火火，各种野菜也开始冒头；春红落尽，夏木成荫，荷花便开始在骄阳的照射下摇曳生姿……

古代人也发现这种奇妙的现象了，他们通过对大自然的细心观察和记录，把这些规律总结出来，称为"二十四节气"。你一定很想知道更多关于二十四节气的知识和故事吧？接下来，让我们带着这份好奇，翻开这本《二十四节气故事》吧！

作 者 简 介

"二十四节气"是我国古代劳动人民长期经验的积累和智慧的结晶。我们无法分辨某一个节气故事具体是由谁创作的，但可以确定的是，它们是人们在长期的劳动、生活中自然而然流传下来的，寄托着人们对美好生活的向往。所以，我们可以这样说——二十四节气和节气故事的作者，是勤劳智慧的古代劳动人民。

内 容 简 介

《二十四节气故事》是一座充满了知识与趣味的宝藏。在这本书里，你不仅能学到每个节气的含义与特点，还能读到有关节气的趣味小故事。

立春，人们为了战胜瘟疫，流传下来在立春当天吃几口萝卜的习惯，这便是"咬春"的习俗；清明，晋文公为纪念介子推而规定在其忌日当天不许生火吃熟食，这便是"寒食节"的由来；小满，晋景公用尽办法仍未尝到当年的新麦，这便是发生在小满节气的趣谈……除此之外，这本《二十四节气故事》里还有很多有趣的知识等待你去探索。

文学赏析

　　《二十四节气故事》是一本和节气相关的故事集。冰雪什么时候消融？什么时候适合种麦子？农作物什么时候成熟？这些农业生产的秘密都隐藏在大自然的节律里。我国古代劳动人民顺应农时，通过观察天体运行找到了农业生产的秘密，并据此总结出了二十四节气。二十四节气不仅能反映季节的变化，还能指导农事活动，影响着每一个家庭的衣食住行。

　　在长期的农业生产中，聪明智慧的古代劳动人民又围绕节气创作出了不少相关的故事。这些故事中，有的讲述了节气的由来，表现出古人对于未知事物的探究精神；有的讲述了节气的习俗，表达了古人对美好生活的向往；有的讲述了和节气相关的神话传说，展现了古人无穷无尽的想象力。虽然以现代人的眼光来看，其中一些故事是荒诞的，但是这些故事体现出古人对于自然现象的猜测与解释。这些故事是古人智慧的体现，表达了古人对美好生活的追求，我们应该予以尊重。

阅 读 方 法

这本书按照春、夏、秋、冬来划分，我们在阅读的时候可以按照相应的顺序来阅读，也可以在每个节气来临的时候阅读相应的篇目，这样更能印象深刻。

我们在阅读每一个节气的内容时，可以先了解这个节气的相关知识和物候，再阅读与这个节气相关的故事，也可以搜集有关该节气的其他故事或内容，增加对该节气的理解，探索有趣的知识。

文中有许多关于节气的故事，读完这些故事，你有什么想法呢？记得跟爸爸妈妈和小伙伴们一起交流哦！

阅读测评

lì chūn
立 春

1.(单选)一位云游四方的道士来到一个瘟疫横行的村庄，他告诉村里人，只要在立春这一天吃几块(　　)就可以治好瘟疫。

(信息提取能力)

A. 苹果　　　　　　B. 萝卜　　　　　　C. 梨

2.(排序)"打春"是从周朝开始的一种迎春祭典，你知道这种祭典的流程是怎样的吗?

(信息提取能力)

"打春"流程

① _____

② _____

③ _____

A. 其他官员和在场的人，依次上前抽打"春牛"三鞭。

B. 农民们从"春牛"身上挖下泥土，并带回家中。

C. 主持祭典的官员令人用彩鞭抽打"春牛"。

扫码查看笔顺

yǔ　shuǐ
雨　水

3.（多选）关于雨水节气的说法正确的是（　　　　）。

（信息提取能力）

　　A. 欢欢:"雨水之后,水獭会把捕到的鱼摆在河岸边展示。"

　　B. 迎迎:"雨水之后,蛰居在泥土里的昆虫渐渐开始苏醒。"

　　C. 妮妮:"雨水之后,在南方过冬的大雁飞回北方了。"

4.（圈画）贝贝是一个身体虚弱的孩子，为了让贝贝健康成长，爸爸妈妈准备带贝贝去"拉保保"。在下面两个人当中，贝贝应该选择谁当干爹呢？把他圈起来吧。

（信息提取能力）

扫码查看笔顺

<ruby>惊<rt>jīng</rt></ruby> <ruby>蛰<rt>zhé</rt></ruby> → <ruby>春<rt>chūn</rt></ruby> <ruby>分<rt>fēn</rt></ruby>

惊蛰 → 春分

5.(单选)渠百川在惊蛰这一天外出经商,在他离开的时候,父亲拿出一个梨,并对他说(　　　)。

（分析归纳能力）

　　A."儿子,希望你吃了梨,和家人不分离。"

　　B."儿子,希望你不忘先祖,光宗耀祖。"

　　C."儿子,希望你吃了梨,生活像梨一样甜。"

6.(判断)班里的几个同学在争论关于春分的知识,请你给说得对的同学画一朵小红花。

（信息提取能力）

欢欢:"大家都在春分这一天祭白虎,让它不能张口伤人。"　　　　（　　　）

迎迎:"到了春分,就说明春天过去一半了。"　　　　（　　　）

妮妮:"我家每年春分的时候都会举办立蛋比赛。"　　　　（　　　）

日积月累　昆　昆　昆　虫　虫　虫

扫码查看笔顺

qīng   míng
清　明

7.（排序）妮妮不小心把"清明节的由来"的故事手卡掉在了地上，你能帮她按故事顺序整理好吗？

（认读感知能力）

①介子推带着母亲躲在绵山。

②介子推一直陪伴着流亡的晋国公子重耳。

③介子推和母亲被烧死，重耳下令这一天不能生火吃熟食物。

④重耳当上国君，想请介子推做官。

⑤重耳放火烧山。

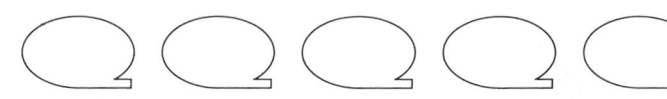

8.（单选）读了"清明吃青团"的故事后，你知道青团为什么是绿色的吗？（　　　）

（信息提取能力）

A.因为里面加了芹菜汁。　　B.因为里面加了艾草汁。

C.因为里面加了青草汁。

扫码查看笔顺

谷 雨
^{gǔ} ^{yǔ}

9.（圈画）学校要举行谷雨节的习俗展示活动，小明准备了几张谷雨习俗的手卡，但是有一张其他节气习俗的手卡混进去了，你能把它圈出来吗？

（信息提取能力）

品谷雨茶	扫墓祭祖	走亲串门

10.（单选）为了报答谷雨的救命之恩，牡丹花姑娘（　　　）。

（信息提取能力）

A.嫁给了谷雨

B.趁谷雨不在家的时候，化成人形帮他打扫房屋

C.照顾谷雨病重的母亲

扫码查看笔顺

9

lì   xià
立　夏

11.(连线)在周朝,立夏这一天,每个人都有自己要做的事情,非常忙碌。请把下列不同身份的人物和他们应该干的事情用线连起来。

（信息提取能力）

天子　　　　巡视田地平原

官吏　　　　用果实供奉先祖,祭拜神灵

农民　　　　到南郊举行迎接夏天的仪式

12.(多选)在"立夏称人"这个故事中,牢头被朱元璋买通后,做了哪些事情?(　　　)

（信息提取能力）

A.牢头把这件事报告给了上司常遇春。

B.牢头给常遇春好酒好肉吃。

C.牢头悄悄把常遇春放走了。

D.牢头在立夏这一天给常遇春称了体重。

扫码查看笔顺

xiǎo mǎn
小 满

13.（单选）在"小满祭蚕"这个故事中，父亲不想让女儿嫁给白马，于是他干了一件什么事情？（ ）

（信息提取能力）

A. 他把女儿藏起来了。

B. 他杀掉了白马。

C. 他赶紧把女儿嫁给了别人。

14.（单选）桑田巫预言晋景公活不到吃新麦的时候，意思是他会死在当年的什么季节？（ ）

（认读感知能力）

A. 春季 　　 B. 夏季 　　 C. 秋季 　　 D. 冬季

扫码查看笔顺

máng zhòng　　xià zhì

芒 种 → 夏 至

15.（单选）芒种的时候，人们烧艾草是为了（　　）。

（信息提取能力）

　A.驱赶蚊虫

　B.感谢关公抓住恶龙，缓解了旱情

　C.供奉给神仙，保佑丰收

16.（多选）可爱的小动物是大自然的报时者，我们看到下面哪些小动物活动时，就能知道夏至到来了？（　　）

（信息提取能力）

　A.小鹿头上的角脱落　　　　B.蝉在树上鸣叫

　C.螳螂破壳而出　　　　　　D.伯劳鸟开始鸣叫

 日积月累

扫码查看笔顺

xiǎo shǔ
小 暑

17.（圈画）小暑这天为什么会打雷下雨呢？下面两位小朋友有不同的解释，把说法正确的那位圈出来吧。

（信息提取能力）

小白龙犯了天条，龙王太生气了，打雷下雨是龙王在发火。

欢欢

这一天是小白龙唯一能见妈妈的日子，小白龙昼夜兼程赶路，带来了雷雨。

迎迎

18.（连线）中国民间有在特定的季节吃药膳养生的习惯。小暑这天吃"三宝"，是因为它们有什么样的功效呢？

（信息提取能力）

清热、养血、除烦　　　清热解毒、消暑利尿　　　营养、滋补

 黄鳝　　　　　 莲藕　　　　　 绿豆芽

日积月累　炎 炎 炎　热 热 热

扫码查看笔顺

dà shǔ

大 暑

19.（多选）"囊萤映雪"就是从车胤囊萤的故事演变而来的成语，它用来形容人热爱学习、努力工作。下列选项中，哪些成语也有这个意思呢？（　　　）

（迁移运用能力）

A.刻舟求剑：佩剑掉进水里，在舟上标记剑掉下去的位置，方便靠岸后寻找。

B.凿壁偷光：匡衡家里穷，买不起蜡烛，就凿穿墙壁借着邻居的烛光读书。

C.闻鸡起舞：祖逖为了报效国家，在半夜一听到鸡鸣，就披衣起床，拔剑练武。

20.（单选）大暑这一天天气炎热，晁盖和吴用等人用什么计谋劫走了生辰纲？（　　　）

（信息提取能力）

A.在酒里掺入蒙汗药，迷倒了押送生辰纲的军汉。

B.在西瓜里加了泻药，让押送生辰纲的军汉拉肚子，丧失战斗力。

C.组织了很多梁山好汉，和押送生辰纲的军汉大战一场。

扫码查看笔顺

lì qiū
立 秋

21.（单选）传说中天神蓐收右肩上扛着巨大的斧头，下面三位不同身份的人中，谁向蓐收许的愿是正确的呢？（ ）

（推理判断能力）

A.农民：天神蓐收，请保佑今年农田丰收。

B.铁匠：天神蓐收，请保佑我锻造出最结实的铁器。

C.打官司的百姓：天神蓐收，请您主持公道，惩治恶人。

22.（涂色）立秋这天，梧桐树燃烧之后，有一只鸟从火中飞出。请给这只鸟涂上你喜欢的颜色吧。

（信息提取能力）

凤凰　　　　　　天鹅　　　　　　麻雀

扫码查看笔顺

chǔ shǔ
处 暑

23.（单选）人们在处暑燃放河灯、在鬼节祭祀都是为了（　　　）。

（信息提取能力）

　　A. 怀念逝去的祖先

　　B. 感谢斩妖除魔的佛祖

　　C. 驱除伤人性命的恶鬼

24.（单选）在"鬼节"这个故事中，佛祖授予目连《盂兰盆经》，是因为佛祖被他的什么品质感动了？（　　　）

（评价鉴赏能力）

　　A. 善良　　　　　　B. 正义　　　　　　C. 孝顺

扫码查看笔顺

bái lù qiū fēn
白 露 → 秋 分

25.（单选）大马虎今天在班上给同学们讲了"大禹治水"的故事，但是他不小心把其中几句讲错了。你能找出他一共讲错了几句吗？（　　）

①在很久以前，大禹继承母亲的遗志治理洪水。
②为了治水，他十次经过家门却不进去。
③最后他把洪水引入黄河，让百姓不再受洪水的侵袭。

A.1　　　　　　　B.2　　　　　　　C.3

26.（单选）秋分到啦，丽丽和家人一起去田间摘秋菜，请你帮她把正确的秋菜找出来吧。（　　）

A.　　　　　　B.　　　　　　C.

扫码查看笔顺

hán　lù
寒　露

27.（单选）寒露把坟头长出的幼苗叫作荞麦，是为了纪念（　　）。

（信息提取能力）

　　A. 早夭的儿子

　　B. 因病去世的妻子

　　C. 意外丧生的丈夫

28.（多选）从桓景战胜瘟魔的故事中，可以看出桓景是个什么样的人？（　　）

（信息提取能力）

　　A. 他去和瘟魔斗争，是为了保护百姓，说明他是个心怀天下的人。

　　B. 去向神仙求宝剑的路途充满艰难险阻，说明他是个不畏艰险的人。

　　C. 桓景杀死了瘟魔，说明他是个残忍的人。

扫码查看笔顺

shuāng jiàng
霜 降

29.（单选）霜降这一天，人们可能看到下面哪个情景？
（　　）

（推理判断能力）

A. 早晨起来看到树叶挂上了白霜

B. 白天外出赏桃花

C. 夜晚在院子里吃西瓜纳凉

30.（单选）传说明朝开国皇帝朱元璋早年因为家境贫寒，曾做过一段时间（　　）。

（信息提取能力）

A. 乞丐　　　　　　B. 和尚　　　　　　C. 商人

扫码查看笔顺

立　冬
lì dōng

31.（排序）立冬可是个忙碌的节日，十岁的小杨也不能闲着，请你帮小杨做一张日程提醒表，把待做事项的序号填入正确的位置吧。

（信息提取能力）

A. 去学校或老师家中

B. 进行入学、拜师

C. 准备好腊肉、水果和蔬菜等礼物

立冬日程表

① _____

② _____

③ _____

32.（单选）在立冬这一天吃赤豆糯米饭，寄托了人们的美好愿望。下面谁的说法是正确的？（　　　）

（分析归纳能力）

A. 欢欢："糯米是白色的，吃赤豆糯米饭是为了祈求一场大雪，瑞雪兆丰年。"

B. 迎迎："赤豆是红色的，火也是红色的，吃赤豆糯米饭是为了祈求今年冬天不要太冷。"

C. 妮妮："疫鬼最怕赤豆了，吃赤豆糯米饭是为了驱避疫鬼，防灾祛病。"

扫码查看笔顺

xiǎo xuě
小 雪

33.（多选）"晒太阳"这个故事中的农夫是一个什么样的人？（ 　 ）

（评价鉴赏能力）

A. 他冬天只能穿破麻烂絮，是一个贫穷的人。

B. 他想把晒太阳的方法献给君王换报酬，是一个有经济头脑的人。

C. 他不把晒太阳的方法免费告诉别人，是一个自私的人。

34.（判断）南方有一句俗语叫"糍粑碌碌烧"。下面有三句围绕这句俗语作的解释，请给正确的说法画"√"，给错误的说法画"×"。

（信息提取能力）

（1）在小雪时节吃糍粑，是我国南方所有地区的习俗。

（ 　 ）

（2）"碌碌"是指用筷子卷起糍粑，像车轱辘那样滚动，方便蘸取食料。　　　　　　　　　　　　（ 　 ）

（3）"烧"是指糍粑的做法。　　　　　（ 　 ）

扫码查看笔顺

大雪
dà xuě

35.（单选）为了躲避"年"兽的伤害，人们想出了很多办法。这些方法不包括下面中的哪一个选项？（　　）

（信息提取能力）

A. 躲在家里不出门　　　B. 搬到山顶躲起来

C. 腌制肉食品　　　　　D. 风干保存蔬菜

36.（多选）从寒号鸟的故事中，我们能得到什么启发？

（　　）

（评价鉴赏能力）

A. 要认真对待生活，不能得过且过，更不能懒惰。

B. 漂亮的容貌是外在美，勤劳的品格是内在美——内在美比外在美更重要。

C. 就算生命短暂，也要做人群中最漂亮的那一个。

日积月累　　年 年 年　　兽 兽 兽

扫码查看笔顺

dōng zhì

冬 至

37.（单选）最初，张仲景发明饺子是为了治疗哪个部位的冻伤？（ ）

（信息提取能力）

A.手 　　 B.脚 　　 C.耳朵 　　 D.鼻子

38.（单选）我国古代有四位家喻户晓的美人，冬至吃馄饨和哪一位美人有关？（ ）

（信息提取能力）

A.貂蝉 　　 B.西施 　　 C.王昭君 　　 D.杨玉环

扫码查看笔顺

39.（连线）礼物除了可以表达送礼人的心意，其本身也具有一定的实用功能。下面这些最受欢迎的礼物各有什么样的功能呢？把礼物和它的功能用线连起来吧。

（信息提取能力）

口脂　　　　　　保暖

面药　　　　　　防止冻伤

冬衣　　　　　　食用

腊肉

40.（单选）古时候人们为了不让灶王爷在玉帝面前说坏话，想了一个什么办法？（　　）

（信息提取能力）

A. 做了很多的馒头，堵住灶王爷的嘴

B. 给灶王爷烧纸钱，贿赂他

C. 在灶王爷的嘴上抹糖

扫码查看笔顺

jì yì lì tiǎo zhàn
记 忆 力 挑 战

41.（填空）在这本书中，我们一共了解到了二十四个节气，请你把下面这些节气的序号分别填进对应的季节中吧。

（信息提取能力）

①春分　②霜降　③小暑　④冬至　⑤小满　⑥谷雨

⑦立秋　⑧立夏　⑨大寒　⑩寒露　⑪惊蛰　⑫小雪

春季：＿＿＿＿＿＿＿＿＿＿＿＿＿＿＿＿＿＿＿＿＿＿

夏季：＿＿＿＿＿＿＿＿＿＿＿＿＿＿＿＿＿＿＿＿＿＿

秋季：＿＿＿＿＿＿＿＿＿＿＿＿＿＿＿＿＿＿＿＿＿＿

冬季：＿＿＿＿＿＿＿＿＿＿＿＿＿＿＿＿＿＿＿＿＿＿

42.（单选）围绕这本书中的一些故事，同学们发生了争论，请你当一个公平正义的小法官，判断以下哪个说法正确吧。（　　　）

（评价鉴赏能力）

A. 蚕怎么可能会变成人？古人太迷信了！

B. 吃萝卜可以治疗瘟疫？这种习俗是愚昧的！

C. 虽然有些故事看起来很假，但表现出古人对未知事物的探究精神，我们不应该用现在的眼光去批判他们。

扫码查看笔顺

1 "春雨惊春清谷天,夏满芒夏暑相连。秋处露秋寒霜降,冬雪雪冬小大寒。"二十四节气是祖先留给我们的财富,我们不仅要多多阅读并背诵这首节气诗,还要熟练记忆每个节气的名称哦!

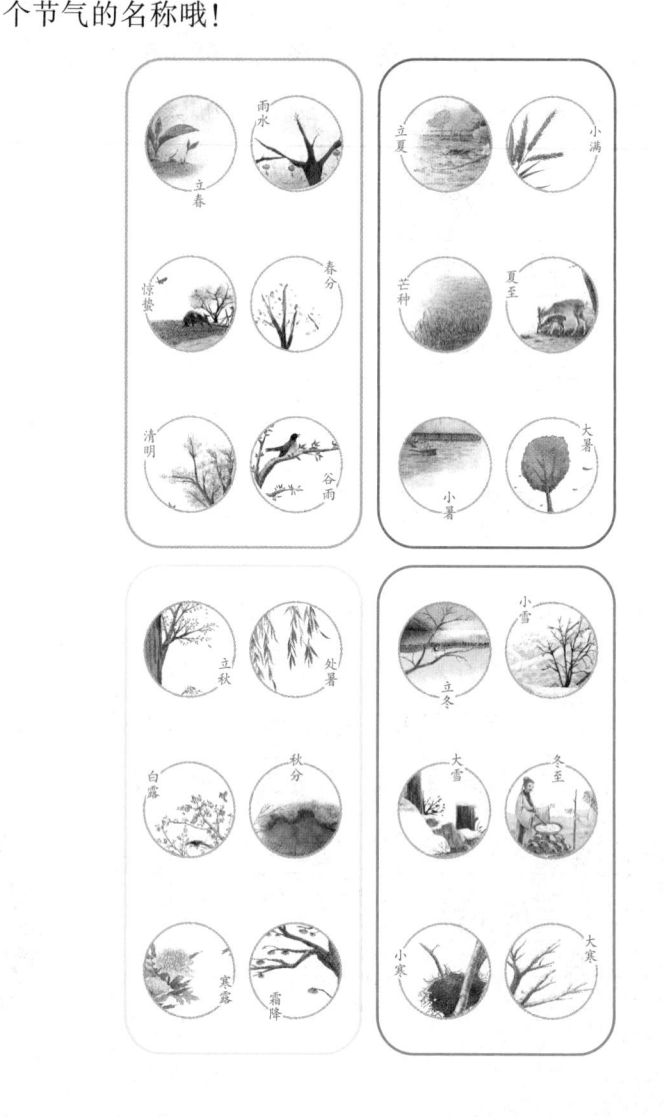

2 比较阅读

"大禹治水"是一个家喻户晓的故事，那么你知道他的父亲鲧（gǔn）也曾治过水吗？请你阅读下面这个故事，比较一下他们二人治水的方法有什么不同？你从中学到了什么？

鲧治水的故事

很久以前，中原地带洪水泛滥，水患给人民带来了无边的灾难。群臣和各部落的首领都推举鲧来治理水患。鲧治水是以堵为主，他盗用国家的"息壤"（传说是一种能自生自长的土）堵到水比较大的地方，想让这种土慢慢自己增多把水给堵住。但是鲧治水治了九年，大水还是没有消退，最后以失败告终。

✹ 鲧是用什么方法治水的？

✹ 大禹是用什么方法治水的？

✹ 你从中学到了什么？

收集故事

　　中国传统文化是一座巨大的宝库，取之不尽，用之不竭，在一代又一代的口耳相传中，流传下来不少节气故事。本书讲述的只是其中的很小一部分。请你再收集一个节气故事，用自己的话写出来。

节气名称	节气故事
所属季节	
节气日期	
节气三候	

4 故事续编

在"'小白龙'回家"这个故事中,我们知道了小白龙因犯错而被关在岛上,只有小暑这一天能见到妈妈。请你发挥想象,写一写小白龙回家后会发生什么样的故事。

新年的钟声刚刚敲响，烟花和爆竹就齐鸣起来。我和妹妹拿出了早已准备好的烟花，点燃了烟花筒，只听见"轰"的一声巨响，一颗烟花弹升到了空中，在空中炸成一朵盛开的花。家里的小狗被吓得往屋里跑；房间里，大人们正围着电视看春晚，正在播出的小品把大家逗得哈哈大笑。爸爸笑得前俯后仰，妈妈笑得靠在爸爸身上直不起腰，奶奶正在用帕子擦笑出来的眼泪，爷爷一边开怀大笑一边摸着自己长长的白胡须……大家脸上都洋溢着幸福快乐的笑容。墙上挂的全家福和中国结把整个家装扮得更加喜庆。

上面描述的是过年期间的一个场景，请你根据文字描述把这个场景画出来吧。

参考答案

阅读测评

1. B

2. ① C　② A　③ B

3. AC

4.

5. B

6. 迎迎、妮妮

7. ②④①⑤③

8. B

9. 扫墓祭祖

10. C

11.

天子	巡视田地平原
官吏	用果实供奉先祖，祭拜神灵
农民	到南郊举行迎接夏天的仪式

12. BD

13. B

14. B

15. A

16. AB

17. 迎迎

18.

| 清热、养血、除烦 | 清热解毒、消暑利尿 | 营养、滋补 |

黄鳝　莲藕　绿豆芽

19. BC

20. A

21. C

22. 凤凰

23. A

24. C

25. C

26. A

27.B

28.AB

29.A

30.B

31. ① C ② A ③ B

32.C

33.AB

34.(1)× (2)√ (3)×

35.B

36.AB

37.C

38.B

39.

口脂 —— 保暖

面药 ×

冬衣 —— 防止冻伤

腊肉 —— 食用

40. C

41.春季：① ⑥ ⑪

夏季：③ ⑤ ⑧

秋季：② ⑦ ⑩

冬季：④ ⑨ ⑫

42.C

阅读活动

1. 略

2. 大禹的父亲靠堵塞来治水。大禹靠疏通来治水。

在我们解决问题的时候，不要一味想着强硬处理，要结合实际情况，寻找更好的解决方法。

3. 示例：

节气名称：雨水

所属季节：春季

节气日期：公历2月18日至20日之间

节气三候：一候獭祭鱼，二候候雁北，三候草木萌动。

节气故事：农历元宵节往往与雨水节气时间相近。白天，人们舞龙舞狮踩高跷，晚上观灯赏月猜灯谜，全家团聚吃元宵。过了元宵节，才算真正过完年，新的一年开始了, 新的学期也开始了。

4. 范文:

　　小白龙披风戴雨地赶到家里, 来不及擦干湿漉漉的毛发就扑进妈妈的怀里。

　　"妈妈, 我好想你啊。"小白龙蹭了蹭妈妈, 妈妈身上的味道让他十分安心。

　　"小白龙, 你站好。"龙妈妈严肃的声音从他头顶上方传来, 小白龙一下慌了神。

　　"小白龙, 在岛上的这一年里,你反思出什么道理了吗? "

　　小白龙郑重地回答:"妈妈, 我以前做事太冲动, 犯了不少错。所以才会被爸爸关在岛上反省。我明白了做事要三思而后行, 不能冲动。"

　　龙妈妈露出慈祥的笑容, 把小白龙拥进怀里, 开心地说:"好儿子, 只有懂得反省, 才能获得进步。"

5. 略